L'amour Transforme des Vies

Aldivan Torres

L'amour Transforme des Vies

Auteur : Aldivan Torres

Série : Spiritualité et développement personnel

Aldivan Torres, né au Brésil, est un écrivain reconnu dans plusieurs genres. À ce jour, elle a publié des titres dans des dizaines de langues. Depuis son plus jeune âge, il a toujours été un amoureux de l'art de l'écriture, ayant consolidé une carrière professionnelle à partir du second semestre 2013. Avec ses écrits, il espère contribuer à la culture du Pernambouc et du Brésil, en éveillant le plaisir de la lecture chez ceux qui n'en ont pas encore l'habitude.

Dédicace

Tout d'abord, à Dieu. À ma famille, à mes lecteurs, à ceux qui soutiennent la littérature, à mes admirateurs, à tous les artistes de la culture qui donnent tant pour l'art.

À propos du livre

L'amour transforme des vies. L'amour transcende la raison, le temps et l'espace. À quel point est-il important d'aimer ? En aimant Dieu, nous-mêmes et notre prochain, nous accomplissons le plus grand commandement du Très-Haut.

Lorsque nous aimons, nous faisons partie de la vie qui crée le monde et les univers. Nous laissons ainsi le destin nous guider et nous emmener au sommet de notre histoire. Qu'il est bon de faire partie de la grande histoire du monde et de la littérature. Il s'agit d'une autre collection importante de textes de sagesse, de religion, d'auto-assistance et de divertissement.

Qu'est-ce que la réincarnation ?

Comment départager plusieurs chemins possibles ?

Nous sommes le reflet de nos rêves

Je porte en moi une foi qui n'est pas ébranlée

Le secret de la paix est de ne pas donner de l'importance aux problèmes

Le vrai bonheur commence par nous-mêmes

L'amour véritable, aime les défauts et les qualités

Pourquoi ai-je été rejeté tant de fois en amour ?

Ceux qui ont l'habitude de tricher pensent que les autres sont comme eux

Ne vous découragez jamais

Cela vaut-il la peine d'essayer de sauver un mariage en crise ?

Ne craignez pas de rêver

La vie est imprévisible

Qu'est-ce que le pardon nous transforme ?

Un véritable ami est un baume pour nos vies

Saint Félix de Nole

Le Maître et l'Elève

Saint Félix de Nole a reçu des leçons privées de religion. Son maître, nommé Alphonse, lui rendait visite une fois par semaine.

Felix

Qu'est-ce que cela me dit sur Dieu ? Et que représente-t-il dans nos vies ?

Afonso

Dieu est la source première de l'univers. Tout ce qui existe provient de sa bonne volonté. Nous pouvons observer Dieu à travers ses propres créatures et créations. Dans les merveilles de la nature, dans les animaux, dans la pureté des enfants, dans la grandeur du ciel et de la mer, dans l'intelligence des scientifiques, des enseignants et des médecins. Dieu est le soutien dans les temps incertains. Dieu est le remède aux maladies. Dieu est la foi des chômeurs. Dieu est l'ensemble des vibrations positives qui émanent des bons êtres humains. En bref, Dieu est la meilleure partie de tout ce qui existe.

Felix

Parfois, je m'interroge sur l'imprévisibilité du monde. Parfois, je pense aussi à l'inconstance du monde. Parfois, je pense à quel point il est difficile d'avoir quelque chose de sûr. Parfois, je pense à quel point il est difficile de faire les bons choix. Que me dites-vous à ce sujet ?

Afonso

Dieu est notre seule sécurité. Toutes les autres choses sont éphémères : les amours, les emplois, la famille. En un instant, ils sont partis et nous laissent dans une situation difficile. Alors, quand c'est notre tour, nous ne pouvons compter que sur nous-mêmes et sur Dieu. Nous sommes sûrs de son amour comme quelque chose qui ne nous abandonne pas dans les pires moments. Qu'est-ce qui vous donne envie d'être chrétien et d'être prêtre ?

Felix

Cette incompréhension du monde et des gens m'amène à me tourner vers Dieu pour obtenir des réponses. Comme dans un film, nous sommes misérables à la recherche de l'illumination. Beaucoup d'écrivains tracent des chemins sacrés, et nous sommes les écrivains de la vie. Quel est l'intérêt de vivre ? D'où venons-nous et où allons-nous ? Pourquoi nous soucions-nous tant de notre chemin et vivons-nous sans soucis ? La saga de Jésus nous montre plusieurs enseignements importants, et cela m'étonne beaucoup. Je veux mieux comprendre ce chemin et être un petit point dans l'univers. Je ne sais pas si je serai heureux, mais le plaisir de la recherche m'anime. Laissons le destin nous guider à travers les ténèbres. Et nous n'aurons peur de rien. Même si le malheur nous poursuit, nous pouvons survivre avec la foi divine qui nous soutient. C'est le mystère de la foi qui est montré à tous les hommes. Je veux en faire partie.

Afonso

Quelle est la participation de votre famille à votre intention chrétienne ?

Felix

Nous sommes tous chrétiens. Nous sommes des gens humbles, mais avec beaucoup de foi en Dieu. Je vois mon père et ma mère me soutenir dans toutes les instances de ma foi. J'ai aussi ma motivation personnelle et ils ne sont pas contre. Je pourrais me marier, fonder une famille et avoir des enfants, mais je vois que la religion est quelque chose qui me fascine trop.

Afonso

Quels sont vos projets pour l'avenir ?

Felix

Dès que j'aurai fini le lycée, je veux entrer dans une école de prêtres. Je suis convaincu de me donner au Christ. Mais tout est au moment que Dieu a marqué. Il ne tient qu'à moi d'accepter ce moment avec résignation. Que Dieu bénisse tous nos projets.

Afonso

Je vous soutiendrai. Vous êtes un gentil jeune homme, très gentil, conditionné à faire le bien. Vous êtes un exemple de dépassement de défis pour nous tous. Vous êtes un bon petit gars destiné à conquérir le monde. Je crois vraiment en son potentiel religieux. Beaucoup de bénédictions à vous et réfléchissez beaucoup à tout ce dont nous avons parlé.

Alfonso finit par lui dire au revoir. Le jeune Félix réfléchit à Dieu et à sa voie. Le chemin que nous avions tous parcouru s'ouvrit et se montra devant lui. Comment un jeune peut-il avoir des perspectives d'avenir ? Comment un jeune peut-il être sûr de son chemin parmi tant d'alternatives ? Quelles peurs, incertitudes et angoisses entouraient son esprit ?

À ce moment de sa vie, le garçon avait peu de certitudes. L'environnement familial, les études religieuses, ses quelques expériences et sa vision du monde lui indiquaient ce processus de connaissance de soi, de vérité, d'amour et de bonheur. Mais en réalité, il ne savait rien de son avenir, qui était encore sombre et lointain. C'était comme suivre la rivière qui coule, abandonnée à son sort. Son Maktub criait en lui pour obtenir des réponses qui étaient encore confuses et troubles. J'étais vraiment perdue, sans direction, sans terre. Mais face à toute cette ombre, son espérance et sa foi le guidaient à chaque pas qu'il faisait. C'était quelque chose à célébrer.

Quelle est votre source d'inspiration qui entre en jeu dans cette affaire ? Exactement dans ce moment de doute, d'agitation et de nervosité. Dieu est la source première de la sagesse et saurait vous guider à chaque étape de la vie. En même temps que son destin était incertain, il suivait les traces de son chemin personnel, mû par une force qu'il ne connaissait pas. La plupart des gens nomment cette force comme ange gardien. L'ange gardien communique en nous le plus secrètement et nos choix sont le résultat de cette sage réflexion. Autant que nous avons le libre arbitre, tout cela est une permission divine. Ensuite, nous en arrivons au point de croire que Dieu est souverain en toutes choses.

Pour arriver à ce point de certitude, ce petit homme a dû faire l'expérience de sa nuit noire personnelle de l'âme. Qu'est-ce que la nuit noire de l'âme ? C'est un moment où nous oublions Dieu et nous nous enfonçons dans le péché sans aucune honte. C'est ce qu'on appelle communément le chemin de gauche. Nous traversons tous une nuit noire personnelle de l'âme qui nous fait apprendre le bien et le mal. Nous en avons besoin pour justifier nos choix personnels. Nous sommes donc sûrs de ce que nous voulons après ces expériences.

Quel serait cet abandon religieux que ce jeune homme recherchait ? Il s'identifiait à certains points du dogme chrétien. Faire l'expérience de sa religiosité était un moyen de se rapprocher de Dieu, de lui-même et de son prochain. Il n'en était qu'au début de son cheminement personnel et la religiosité serait une partie importante de l'agrégation des connaissances. Les autres choses seraient des points complémentaires qui inonderaient cette relation avec plus de bonnes choses. C'était quelque chose de réuni, qui produirait des résultats concrets et satisfaisants. Il espérait que cela suffirait, même s'il cherchait toujours à en savoir plus.

Que pouvons-nous attendre d'un si grand abandon de vie ? En tant que rêveur, il voulait démontrer son attachement au Christ et à la religion de diverses manières. Il voudrait se rapprocher des personnes qui se sont égarées et qui étaient dans les ténèbres de l'entendement. Son but n'était pas seulement de gagner des serviteurs fidèles. Son objectif était de trouver des amis et des personnes qui ajouteraient à ses connaissances. Ainsi, tout serait très fructueux dans cette recherche de la connaissance.

Où espérait-il aboutir à ce but dans la vie ? C'était très présomptueux de sa part de vouloir connaître l'avenir complet. C'était juste un serviteur intelligent, dévoué et aimant. Mais la grandeur de Dieu dépassait toute notion humaine. Donc, la bonne chose à faire est d'abandonner à Dieu toutes ses attentes d'amélioration. Quoi qu'il en soit, c'était ce qu'il y avait de mieux pour tout le monde.

Félix et le garçon des rues

Félix a obtenu son diplôme. Il a travaillé pendant un certain temps comme prêtre, puis est devenu évêque. C'était une personne éclairée parce qu'il avait un beau travail social.

Garçon de la rue

Voyez, M. Bishop, ma situation : j'ai perdu mes parents et j'ai été jeté à la rue. Je vis une vie misérable d'agitation où je dois me battre pour survivre. Quelles paroles avez-vous de Dieu à me transmettre ?

Felix

Vous êtes très important pour Dieu. Bien que beaucoup voudraient vous faire croire le contraire, ne vous découragez jamais. Croyez que vous pouvez étudier et vous en sortir. Dieu n'abandonne pas le bien.

Garçon de la rue

Cela me réconforte. Mais vivre ma réalité n'est pas facile du tout. C'est une honte qu'il y ait tant d'inégalités dans le monde.

Felix

C'est pourquoi je m'y oppose. Mon travail social est en faveur des minorités. Mon travail est d'aider les gens financièrement, mais aussi d'être un guide dans les moments de détresse. Dans le Christ, nous trouvons la vraie charité, l'amour et la bienveillance envers tous.

Garçon de la rue

C'est encourageant. Mais un changement concret ne sera possible qu'avec l'action du gouvernement, avec la création d'emplois et de revenus. Nous avons également besoin de personnes qui s'intéressent à leur propre développement et à leur éducation. Nous devons vouloir changer la réalité et le soutien par rapport à cela. Mais merci pour votre travail, votre dévouement et votre engagement.

Felix

J'ai l'impression d'avoir fait mon devoir. Je fais de mon mieux dans les projets caritatifs auxquels je participe. Chaque fois que vous voulez quelque chose à manger, à porter et à dormir, vous pouvez venir me voir.

Garçon de la rue

Merci beaucoup pour votre aide. J'espère que je n'en aurai pas besoin avant longtemps. Je veux étudier, trouver un emploi et avoir ma propre maison. Je veux toujours élever ma famille, avoir mes enfants et m'épanouir. Bien que la vie soit compliquée pour moi, j'espère réaliser mes rêves.

Felix

Je vous soutiendrai. Nous méritons tous de réaliser nos rêves, de nous sentir bien dans notre peau, d'avoir du courage, de l'espoir et de la résilience. Il n'y a pas de limite. Nous pouvons être ce que nous voulons être. Il suffit d'y croire et d'aller de l'avant, vers le combat. Que Dieu nous bénisse tous.

Ils se disent enfin au revoir. De cette rencontre reste l'espoir et le goût d'en vouloir plus. Qu'est-ce que ce pauvre enfant des rues a ressenti ? Dans une vie de misère et de pauvreté, arrosée de préjugés et de difficultés, Dieu était leur dernier canot de sauvetage. Dieu, dans sa sagesse infinie, était sa plus grande richesse et sa plus grande sécurité dans un monde où il était rejeté, asservi ou même ignoré.

Qu'est-ce que cela fait d'être méprisé par la société et aimé par Dieu ? Je crois avec beaucoup de gratitude. Alors que le monde nous maltraite, nous avons un Dieu merveilleux qui nous montre continuellement son amour pour nous, indépendamment de la classe sociale, de la religion, du sexe, de l'âge, de la couleur ou de toute spécificité. Paradoxalement, certains chrétiens utilisent la religion pour rabaisser et attaquer les autres. Il s'agit d'un phénomène moderne dans lequel nous appelons ses membres de faux chrétiens. Ces gens n'ont pas appris à aimer Dieu et leur prochain, et ils veulent encore parler des règles bibliques. C'est sans aucun doute une grande contradiction dans leur vie.

Comment est-ce que je perçois l'action de Dieu dans ma vie ? Toutes les délivrances que j'ai obtenues, je les appelle un miracle. Ces petits miracles m'ont montré le grand amour de Dieu pour moi, sa miséricorde, sa bonté et sa justice sont infinies. Donc, je suis tellement reconnaissante que Dieu montre de l'amour dans ma vie.

Et que signifie concrètement l'amour de Dieu ? L'amour de Dieu se concrétise dans le monde à travers les hommes eux-mêmes. Grâce aux bonnes personnes, nous voyons de grandes actions se produire et changer la vie des gens. La charité et l'altruisme de certaines personnes sont ce qui rend le monde meilleur. C'est pourquoi j'aime tant cette présence bienveillante qui existe chez les gens. C'est un signe du Dieu vivant.

Maintenant que vous comprenez que Dieu aime aussi les minorités, que diriez-vous si vous faisiez votre part et contribuiez d'une manière ou d'une autre à la diminution de cette oppression ? Faites la charité avec les moins fortunés, soutenez les femmes, n'ayez aucun préjugé, combattez les injustices et payez vos obligations en tant que citoyen pour pouvoir exiger des politiques publiques pour les populations les plus démunies. Comme ce sera beau de savoir que votre bonne action transforme et améliore des vies. Que Dieu vous bénisse dans tous vos projets caritatifs.

Dans ses travaux chrétiens, Félix s'est très bien donné. Il a eu beaucoup de succès, mais il a aussi dû faire face à des difficultés. Il y avait un problème de pénurie alimentaire dans la paroisse. C'est alors qu'il eut une idée.

Felix

Les pères, chacun dans sa région, recherchent les personnes les plus riches. Demandez-leur des dons pour nos chers malheureux. Nous devons remplir les garde-manger et reprendre les dons.

Père Abel

Ainsi, ce sera fait, évêque. C'était une excellente idée de sa part.

Comment pouvons-nous aider ceux qui en ont le plus besoin ? Dans quelle mesure les personnes ayant des besoins particuliers s'inscrivent-elles ? Tout ce contexte doit être analysé et transformé. Nous savons que souvent, peu importe à quel point une personne essaie, elle peut ne pas avoir la force ou même la compétence pour se sortir d'une situation difficile. L'aide des autres peut être la grande force motrice pour changer votre réalité. Les deux camps gagnent absurdement bien.

Quel est donc le vrai sens de la charité ? Le vrai sens de la charité est de partager un peu de soi avec les autres afin de les guérir de leurs maux physiques, spirituels et émotionnels. Cette attitude qui consiste à donner le peu que nous avons nous fait beaucoup de bien. Faire un don est un geste de bienveillance, d'amour, de compréhension et de générosité. Comme c'est beau et devrait être accessible à tous les membres de la communauté. Les chrétiens sont un exemple qui montre que les religions pourraient faire mieux pour résoudre ce problème, mais pas nécessairement passer outre l'action des gouvernements. L'un doit compléter l'autre.

Alliés à la charité, nous avons de l'affection, de la compassion, de l'affection. L'affection peut se manifester par de petits gestes significatifs. Et cela nous transforme vraiment d'une manière qui transcende les obstacles, les dangers et les problèmes. Nous devenons de meilleurs êtres humains et plus convaincus de ce que nous voulons. Nous devenons les protagonistes de notre histoire et aussi un leader de notre propre émotion. Nous sommes passés d'acteurs de soutien à maîtres de notre destin, sur une scène sans idoles. Nous cessons d'être leurs esclaves et devenons notre propre exemple et notre propre inspiration. Cela n'a été possible que parce que nous sommes devenus émotionnellement matures pour avoir le courage de nous libérer de nos préjugés. L'exemple de l'évêque nous montre une personne qui s'intéresse vraiment à briser les paradigmes.

En y ajoutant l'amour, cette force la plus puissante qui existe, nous avons un environnement parfait pour la prolifération de notre culture, de notre expression populaire, de notre sentimentalité. En accomplissant le premier commandement de Dieu, qui est d'aimer, nous devenons capables d'accomplir toutes les autres règles sans effort. En perfectionnant les commandements de Dieu, nous créons notre propre vérité et devenons des sources de sagesse et de vérité. Seul l'amour transforme vraiment les gens.

L'amour présuppose le travail, le dévouement et la recherche d'objectifs. Si l'amour n'est pas arrosé, il ne porte pas de fruit. Nous considérons le travail comme un exemple qui nous permet de briller et de donner une nouvelle dimension aux biens que nous réalisons pour notre famille. C'est pourquoi nous nous levons à cinq heures du matin et prenons plusieurs bus pour nous rendre au travail. Ainsi, le travail, qui est mal vu, peut devenir une bonne chose. Le travail est fondamental pour que nous comprenions notre véritable destinée sur terre et comment nous rapporter à Dieu.

Alors, comment pouvons-nous permettre cette action de Dieu dans nos vies ? Être très humble. Si vous avez besoin d'aide, appelez à l'aide. Acceptez les dons et battez-vous pour quelque chose de mieux. Étudiez dur pour changer votre histoire. Étudiez pour avoir les connaissances de votre côté. Étudiez parce que nos connaissances sont quelque chose que personne ne peut nous enlever. Il restera avec vous toute votre vie. C'est pourquoi les prêtres et les évêques étudient beaucoup, non seulement la doctrine, mais aussi la façon dont les gens se comportent.

Félix devait être félicité d'être un prêtre si dévoué aux causes du bien. À chaque bonne action, il se rapprochait de Dieu et des personnes qui avaient le plus besoin de lui. C'était beau de voir à quel point ils étaient dévoués à être de meilleurs êtres humains. C'est ça la vie : transformer la vie des autres avec vos actes de charité.

Le don d'héritage

Les parents de Félix sont morts. Comme ils étaient très riches, il hérita d'un bon patrimoine composé de fermes, d'entreprises et d'argent investi. Alors, il réfléchissait dès qu'il en entendait parler.

Felix

Père Erasme, je viens de perdre mes parents qui m'aimaient tant. C'est un temps de grande douleur et d'incompréhension face à la mort. Il ne nous reste plus qu'à accepter les desseins de Dieu et à être patients face à l'immensité de la vie.

Erasmus

C'est vraiment difficile d'accepter la mort de nos parents. Il est vraiment difficile de comprendre la mort. Il est vraiment difficile de se remettre de la mort d'un proche parent. C'est une période de deuil qui varie d'une personne à l'autre. Je vous présente mes condoléances et j'espère que votre état s'améliorera.

Felix

Merci beaucoup, mon cher ami dans la foi. J'ai besoin de tout le soutien que je peux obtenir en ce moment. Je vais vivre ce deuil pendant longtemps parce que mes parents étaient particulièrement importants pour moi. C'est en s'inspirant d'eux que je suis devenu prêtre chrétien. Aujourd'hui, je suis ici, vivant cette perte, mais immensément fier de moi d'être devenu un grand homme, un exemple de chrétien pour tous.

Erasmus

C'est un grand pasteur. C'est grâce à son travail que de nombreuses personnes sont entrées dans la foi chrétienne. C'est grâce à vous que la vie de beaucoup a été transformée. Sa conduite est irréprochable au sein de l'Église catholique. Nous sommes tous ses grands fans.

Felix

J'ai besoin de continuer à rêver. Est-ce que j'aimerai mes parents ? J'aimerai toujours. Mais je continue avec la foi qu'ils sont heureux et qu'ils me bénissent où qu'ils soient.

Erasmus

C'étaient des chrétiens bénis. C'étaient aussi des gens très aisés. Que ferez-vous de votre héritage ?

Felix

Celui-ci a déjà une certaine destination : j'en ferai don à mes œuvres caritatives. Depuis que j'ai fait vœu de pauvreté, je ne me soucie plus beaucoup de la question matérielle. Je serai donc heureux que cet héritage aide de nombreuses personnes pauvres à se remettre sur pied.

Erasmus

C'est un acte d'une extrême générosité. Félicitations. Tes parents seront très fiers de toi. Vous êtes un exemple même dans ce moment de douleur. Merci beaucoup pour toutes ces personnes qui ont tant besoin d'un soutien financier.

Felix

C'est le moins que je puisse faire pour mes parents et pour moi-même. Faire un don me fera beaucoup de bien. J'aimerais avoir plus d'argent pour aider plus de gens. Oh, si les riches donnaient au moins vingt pour cent de leur fortune, il n'y aurait peut-être pas de faim dans le monde.

Erasmus

Vérité. Il y a un manque d'action de la part des riches. La vérité est que beaucoup de gens ne pensent qu'à eux-mêmes. Alors, ils travaillent, accumulent des richesses et les laissent en héritage. C'est un cycle d'accumulation sans fin. Je n'en vois pas l'intérêt.

Felix

Je ne comprends pas cela non plus. Je veux n'avoir que ce qui est nécessaire pour survivre et le reste, je veux le donner. Mais je suis évêque, n'est-ce pas ? La plupart des gens n'ont pas ma pensée altruiste.

Erasmus

Nous sommes dans un monde gouverné par le matérialisme. Tout ce dont nous avons besoin, nous nous tournons vers l'argent. Il est compréhensible de comprendre cela parce que tout ce dont nous avons besoin pour survivre, l'argent l'achète. Mais nous devons trouver un équilibre. Nous devons séparer la foi en Dieu, la charité, la santé, et valoriser davantage cela. L'argent ne fait pas le bonheur.

Que ressent la personne qui fait don d'un héritage à une œuvre de charité ? Du point de vue d'une personne ordinaire, ce serait fou. Mais dans l'opinion des altruistes, ce détachement matériel est quelque chose qui élargit l'âme et lui apporte beaucoup de bonheur. Peut-être que faire don d'un bien à une œuvre de charité fait plus de bien à celui qui donne qu'à celui qui reçoit. C'est l'action divine qui transforme des vies et des situations qui étaient dans l'impuissance totale.

Qu'est-ce qu'un don successoral apporte systématiquement ? La réduction des inégalités sociales et le soutien aux personnes dans le besoin. Nous générons également des emplois, des revenus et des opportunités auxiliaires. Ce transfert de revenus change notre vision d'un monde matérialiste vers un monde plus fraternel, plus humain et plus juste. C'est ce que tout le monde devrait toujours pouvoir faire.

Nous devons toujours nous mettre à la place des lésés, des misérables et des marginalisés. Nous devons nous mettre à la place de ceux qui sont discriminés, de ceux qui ont faim, de ceux qui demandent de l'aide. En agissant au nom de nos frères et sœurs, nous pouvons éprouver ce merveilleux sentiment d'être utiles à Dieu, à nous-mêmes et de servir les autres. C'est un bel acte à voir et qui devrait toujours être encouragé.

Ce qui nous transforme vraiment, c'est l'acte de donner. Ce qui nous transforme vraiment, c'est de voir les résultats concrets de nos actions. Ce qui nous motive vraiment, c'est de faire le bien sans regarder qui. C'est là que réside la bonté du chrétien. C'est là que réside la bonté de toute personne, quelle que soit sa religion. C'est parce que la charité est un concept universel que tout le monde devrait suivre.

Et qu'est-ce qui nous touche d'autre dans les œuvres de charité pratiquées ? C'est l'exemple de la loi. En faisant un don, nous stimulons la pensée critique de nombreuses personnes à travers le monde. Et ainsi, le bien deviendra quelque chose de perpétué. Les gens feront de plus en plus d'actions charitables, parce que le bien nous inspire à être des êtres humains de plus en plus bons. C'est absurdement bon à propager parmi tout le monde.

À la fin de la charité, il nous reste le bonheur de bien voir l'autre. Être heureux, c'est toujours faire le bien. Être heureux, c'est donner un peu de soi aux autres. L'exemple de l'évêque Félix nous montre à quoi devrait ressembler un vrai chrétien aujourd'hui. Nous devons avoir un monde plus humain, un monde avec plus de couleurs, de joie et de vivacité. Que le monde soit plein d'actions charitables et qu'il nous remplisse d'orgueil. Qu'attendez-vous ? Vive aussi cet altruisme.

Accueillir un chrétien persécuté par les autorités.

Félix continua joyeusement ses activités chrétiennes. Mais on ne pouvait pas en dire autant de plusieurs prêtres qui étaient persécutés par des fonctionnaires du gouvernement. Oui, le christianisme était encore mal vu à cette époque par de nombreux empereurs, rois et présidents du monde. C'est là qu'il a reçu la visite d'un prêtre qui lui a demandé un abri.

Felix

C'est un grand plaisir de vous accueillir, Frère Ptolémée. Comment tu te sens?

Ptolémée

Je suis consterné. J'aime la doctrine chrétienne, j'aime être un berger des brebis du Christ, j'aime ce que je crois être juste. Mais je ne comprends pas tant de persécution à propos de notre communauté. Quel mal faisons-nous d'être ainsi persécutés ?

Felix

Calme ton cœur, mon pote. Vous n'avez rien fait de mal. Nous sommes tous dans la même situation. Nous devons redoubler d'attention mais continuer la mission avec courage, amour, patience, avec tous les peuples. Nous sommes dans un ouragan, mais ce qui nous retient, c'est notre foi en Christ. Même si je marche dans la vallée de l'ombre de la mort, je ne craindrai rien, car tu es avec moi.

Ptolémée

Ce sont là des paroles vraiment réconfortantes. J'ai besoin de soutien pour pouvoir continuer et faire face à toutes mes peurs. Nous devons continuer à croire en ce que nous enseignons et en la protection divine. Bien que les hommes soient mauvais, vous nous regardez avec bienveillance.

Felix

Vous êtes avec nous. Nous sommes prêts à tout, y compris à être des martyrs. Comme Jésus l'a enseigné, quiconque veut sauver sa propre vie la perdra. Mais celui qui perd la vie au nom de la mission la retrouvera. C'est le mystère de la foi qui s'ouvre à nous tous, communauté chrétienne.

Ptolémée

Je crois. Je crois que tout va vers notre victoire. Le fardeau est lourd, mais le travailleur doit travailler. Poursuivons le voyage, même si nous ne pouvons pas prédire l'avenir. C'est avec une grande foi que je vous remercie de votre hospitalité.

Felix

Pour rien, ma chérie. Restez aussi longtemps que vous le souhaitez. Nous sommes à votre service.

C'était une époque de persécution des chrétiens à cause de leur foi en Dieu. Les anciens adoraient d'autres dieux païens qui contredisaient simplement la foi chrétienne. Et la plupart des gens voulaient continuer dans l'obscurité de l'ignorance. Ainsi, le christianisme a été réfuté pendant longtemps et persécuté par les empereurs, les rois et les présidents. Cependant, les chrétiens ont conservé leur courage inébranlable qui leur a permis de survivre même dans un scénario d'angoisse comme celui-ci.

Il y avait beaucoup de souffrances imposées aux chrétiens. Passages à tabac, arrestations, humiliations, morts. Seule une personne courageuse pouvait professer la foi chrétienne dans les temps anciens. Et ils avaient tous cette détermination de répandre la parole du salut à beaucoup de gens. Par conséquent, la religion a survécu et s'est développée de plus en plus. C'était un peuple guerrier, qui s'est distingué par ses vertus d'humilité, d'amour, d'amitié, de charité, de générosité, de compréhension et de pardon à d'innombrables reprises. C'est pourquoi nous avons l'habitude de dire que la plupart des gens dans le christianisme ont pour but leur propre évolution spirituelle et celle des autres.

Oui, il est vrai que les structures religieuses de l'époque étouffaient le mouvement chrétien. Il était donc normal d'entendre parler de chrétiens tués par des régimes politiques. Nous comprenons cet acte de confrontation avec le gouvernement comme un acte de pur amour pour ce en quoi il croyait. Ils croyaient qu'en affrontant la mort, ils auraient le salut immédiat de leurs âmes. Tout cela pour l'amour du Christ, celui qui a tout souffert pour nous.

Tout ce que l'histoire nous dit sur la persécution religieuse nous montre la force, la détermination, l'amour et le courage des chrétiens pour ce en quoi ils croyaient. À quoi bon vivre et être lâche ? Quel était l'intérêt de vivre comme un rat et avec un faux masque ? La fidélité et la vérité ont eu un prix élevé, mais ils s'en sont réjouis. Pour cette raison, le christianisme est devenu la religion principale dans le monde à ce jour. Il est regrettable, cependant, que certains chrétiens se soient détournés de la vérité et aient commencé à agir avec préjugés et malveillance envers les minorités. Ils ne connaissent pas vraiment le Christ. Parce que le Christ nous a enseigné à aimer tout le monde, quel que soit l'individu.

Félix a été arrêté. À ses côtés se trouvaient trois soldats romains qui avaient très faim.

Soldat

Nous sommes condamnés, évêque. Nous n'avons pas mangé depuis trois jours. Que deviendrons-nous ?

Felix

Apaisez votre cœur. J'ai de la farine tout usage et du lait. Je vais te faire une miche de pain pour que tu puisses manger.

Ritcher

Mais la pâte est si petite. Comment allez-vous nous nourrir tous ?

Felix

Ayez confiance en Dieu et ayez confiance en moi. Il va donner et rester. Je vais prier pour la nourriture.

C'est ce qui s'est passé. Ils mangèrent du pain et se remplirent le ventre, étant rassasiés pendant un long moment. C'est ce qu'on appelait le miracle du pain.

Il a répété le miracle de Jésus de multiplier les pains et les poissons. Quel grand disciple il était ! En tant qu'évêque, il a fait l'expérience d'être Jésus, la figure de proue du christianisme. C'est en le reflétant que Félix a construit une œuvre apostolique enviable, un exemple pour tout son temps.

Tout ce qu'il avait appris sur le fait d'être une personne droite, c'était à travers son expérience personnelle et les enseignements de sa religion. Jésus nous montre à travers ses écrits bibliques que pour être une bonne personne et mériter le don du Royaume de Dieu, nous devons d'abord et avant tout aimer Dieu, nous-mêmes et notre prochain. Toutes les autres choses découlent de ce commandement principal que nous devons suivre tout au long de notre vie.

Dans notre analyse, nous voyons qu'il y a deux règnes : un royaume matériel fourni par les choses du monde et un royaume spirituel fourni par les commandements divins. Et tout le monde a le libre arbitre de choisir de quel côté il veut être. Il n'y a rien à regretter. Si les gens choisissent délibérément le mal, c'est ce qu'ils méritent vraiment. Mais si, au contraire, ils choisissent les choses du royaume, alors le bonheur et la joie les attendent comme les fruits de leur travail.

Pour pouvoir entrer dans le Royaume de Dieu, nous devons être comme les rejetés et les marginalisés, les brebis galeuses que Jésus accueille. Les riches, les blancs, les oligarques, les grands fonctionnaires, sont moins acceptés par Dieu parce qu'ils sont pleins d'orgueil, d'arrogance, de manque d'amour, et ce sont eux qui oppriment les petits. Donc, c'est comme Jésus nous l'a assuré : peu de riches atteindront le salut parce qu'en général ces gens sont égoïstes.

Tout ce que Jésus a montré dans le monde confirme qu'il est le fils de Dieu : ses enseignements, son exemple et ses miracles. Les gens croient en Jésus parce qu'il est l'homme qui a transformé le monde. Et c'est pourquoi cela a transformé la vie de Félix. Avec l'exemple de Jésus, Félix a transformé la vie de nombreuses personnes par ses œuvres de charité, d'amour, de patience et de dévotion à Dieu.

Jésus, en tant qu'homme le plus important du monde, a laissé les saints en héritage de son histoire chrétienne. Félix est l'un d'entre eux et sa journée est célébrée le 14 janvier. Longue vie à ce saint qui est si important pour nous tous.

Pourquoi n'ai-je pas eu d'enfants ?

J'ai quarante ans. Je suis passé par plusieurs phases dans ma vie : l'enfance, l'adolescence et maintenant, l'âge adulte. Vraiment, il fut un temps où j'avais un grand rêve : fonder une famille et avoir des enfants. Mais non, ça n'a pas marché pour moi. Plusieurs questions se sont posées et je n'ai pas pu réaliser mon rêve.

Je vis actuellement avec trois frères et sœurs et j'ai deux nièces et un neveu qui vivent dans la même communauté. C'est ma famille la plus proche. Donc, ils compensent mon besoin affectif. Je me sens aimée même si je n'ai pas de partenaire. Est-ce que je vais recevoir de l'amour ? Je n'ai pas de plan pour cela. Je trouve que c'est une mission presque impossible car je ne sors presque pas de chez moi parce que mon travail est à la maison.

J'ai trois beaux chats, un chien et plusieurs poules. Je les nourris et je me sens bien dans cette association. Les animaux nous transmettent une bonne énergie d'amour et de fidélité. C'est un amour inconditionnel et pas besoin de retour. C'est pourquoi j'aime les animaux beaucoup plus que certaines personnes.

Angela est née dans une famille extrêmement pauvre avec de grands problèmes existentiels. Fille d'un père alcoolique, d'une mère prostituée et d'une fratrie marginale, elle s'est retrouvée dans un environnement familial trop compliqué à gérer. Avec des disputes constantes dans la famille, elle a vu que le rêve d'avoir des enfants et de se marier n'était peut-être pas une bonne option.

Pour ne pas mourir d'ennui, elle se consacre à ses études à l'école et aux tâches ménagères. Son rêve était d'avoir un métier, de bien gagner sa vie et d'améliorer la vie de sa famille. Son éducation et son éducation ont fait d'elle une rêveuse, capable de s'imaginer dans une situation de vie meilleure. À l'école, elle a appris que tout le monde a le droit de grandir et d'être heureux, peu importe ce qui s'est passé. Elle estimait que son amélioration résidait dans l'éducation.

Elle a obtenu son diplôme dans une bonne profession. Il a obtenu de bons emplois et a passé sa vie entre le travail, les voyages et les rencontres. Au cours de ses plus de trente ans de travail, il s'est également fait de grands amis avec des personnes de bon niveau culturel. Elle était heureuse professionnellement et amoureuse, mais elle ne s'est pas mariée. Elle aimait beaucoup plus sa liberté que d'avoir un mariage pour plaire aux autres. Elle aimait beaucoup plus son côté professionnel compétent que de consacrer des années à ses enfants sans s'attendre à ce qu'ils soient de bonnes personnes. C'était l'une de ses craintes d'avoir des enfants.

Pourquoi ne voulait-elle pas avoir d'enfants ? À cause de la peur, à cause d'autres objectifs plus importants, parce qu'elle vivait dans une famille troublée et qu'elle ne voulait pas répéter la même histoire avec ses enfants, parce qu'avoir des enfants par obligation ne la rendrait pas heureuse. Même si la vieillesse lui a fait peur, elle est sûre qu'elle pourrait vivre seule avec ses beaux chats et chiens. C'était le véritable amour qu'elle sentait qu'elle pouvait conquérir.

Et c'est ce qui a été fait. Après avoir pris sa retraite, il s'est davantage consacré à avoir des animaux de compagnie. Avec leur compagnie, je n'ai même pas manqué un enfant. Elle vécut sa vieillesse heureuse, avec la certitude que si elle avait des enfants, elle ne serait pas une bonne mère. C'est ainsi qu'elle a terminé son cycle de vie sur terre avec la marque d'être une grande gardienne des animaux.

Pourquoi ne devrions-nous pas plaire à tout le monde ?

Arrêtez de plaire à tout le monde. C'est impossible. Parce que les gens ont des points de vue et des opinions différents pour le même événement de la vie. Alors, comment cela va-t-il plaire à tout le monde ? C'est du temps perdu que d'y consacrer du temps.

Une personne émotionnellement prête passera du temps à plaire à Dieu et à elle-même. Comment savons-nous si nous plaisons à Dieu ? Pratiquer ses commandements, ses règles et sa bonne éthique. Si vous faites le bien, alors vous plaisez à Dieu. Comment savez-vous comment vous faire plaisir ? Faire exactement ce qui vous fait du bien et de la santé. Que vous les aimiez ou non, vous vivrez bien avec vous-même et c'est la chose la plus importante pour que vous vous sentiez bien, léger et victorieux.

Même Jésus, qui était le fils de Dieu, ne plaisait pas à tout le monde. Être heureux, c'est avoir un peu de tranquillité, de paix et d'amour avec soi-même. Être heureux, c'est être bien avec sa conscience tous les jours quand on va se coucher. Il ne s'agit pas de faire le mal et de toujours récolter le bien par ses propres actions. Être heureux, c'est un peu qui dit votre humeur. Croyons toujours que l'énergie de l'univers nous prépare au mieux pour notre avenir.

Nous ne sommes pas responsables du monde entier

Moins vous aurez de responsabilités, mieux vous vous porterez. Pour que cela fonctionne correctement, vous devez avoir une attitude stricte lorsque vous êtes approché par d'autres personnes, en particulier des proches. Je sais qu'il n'est pas facile d'avoir une position de déni, mais si vous prenez la responsabilité des autres, vous n'aurez que plus de travail devant vous. Et vous ne serez pas heureux d'être dans cet état de dépendance.

Alors, aidez-vous, mais ne vous submergez pas. Aimez, pardonnez, comprenez, mais éloignez-vous de ce qui vous blesse. Si vos projets de fonder une famille échouent, consacrez-vous à votre famille qui vous aime et vous comprend tant. Mais ne sois pas leur esclave. Prenez du temps pour vous et vivez votre liberté personnelle sans donner d'explications à personne. Personne ne mérite de porter un poids du monde entier.

Qu'est-ce qui est prioritaire dans votre vie ?

Ma priorité, c'est moi-même. Si je ne m'aime pas, si je ne m'estime pas, qui le fera pour moi ? Alors, réfléchissez : qu'est-ce qu'une relation amoureuse peut ajouter à votre vie ? Quel bien quelqu'un d'autre peut-il vous donner ? Amour? Croyez-vous encore en l'amour aujourd'hui ? Il y a peut-être de l'amour, mais ce n'est pas quelque chose comme un roman ou un film. L'amour dans la vie réelle est coûteux et totalement différent de ce que nous voyons dans les œuvres d'art.

J'ai choisi de m'aimer par-dessus tout. J'ai ma religiosité, j'ai ma famille, j'ai des proches, j'ai mon expression artistique, j'ai ma liberté et mon amour-propre. J'ai la possibilité de me rendre heureux sans dépendre de quelqu'un d'autre.

Ma priorité est de travailler, de m'aimer, de construire mes rêves, d'aider les autres, de faire des constructions concrètes pour améliorer le monde. Je serai heureux dans ma communion universelle avec le créateur avec la certitude d'avoir fait de mon mieux. Alors, aimez-vous beaucoup et partez à la recherche de votre bonheur. Votre bonheur ne réside pas nécessairement dans une relation amoureuse.

Croyez-vous en l'au-delà ?

Plusieurs religions croient en la vie après la mort. Il existe également de nombreuses théories sur l'au-delà, mais pas de véritables découvertes car ceux qui meurent ne reviennent pas pour le dire. Ainsi, croire en la vie après la mort est un sentiment intérieur de l'individu qui est lié à sa foi particulière.

Je crois en la vie après la mort à cause de mes expériences en tant que prophète. J'ai vu des vampires, des femmes aux dents sous mon lit, j'ai vu beaucoup de fantômes, j'ai rêvé de morts, j'ai entendu des voix de l'au-delà. Donc, tout m'amène à croire que la vie après la mort est quelque chose de vrai.

Être conscient que nous vivons éternellement me guide à être une personne plus humaine, plus juste et plus fidèle à mes amis. Par essence, je suis déjà bon et par l'effort, je suis encore meilleur. Rappelez-vous que tous les hommes rendront compte de leurs travaux au grand créateur au moment de leur mort. Veillez donc et priez pour leurs actions, car nous ne connaissons pas le jour du voleur.

Qu'est-ce que l'amour véritable nous enseigne ?

L'amour véritable nous enseigne que celui qui aime vraiment est capable de donner sa vie pour l'autre. Un exemple de cela était la reddition de Jésus aux Romains, le sacrifice d'un sans-abri pour libérer sa femme d'un bandit, et l'amour d'une mère. Tous les autres amours que les gens ressentent comme étant inférieurs à ceux que j'ai mentionnés. Il est donc préférable de ne pas se tromper avec de fausses promesses.

Le véritable amour est beau, il est inconditionnel et il transcende la compréhension humaine. Le véritable amour n'exige rien, il nous est donné gratuitement. L'amour comme ça, je n'avais que l'amour de Dieu et l'amour de ma mère. Malheureusement, je n'ai pas eu d'amour romantique. Toutes mes tentatives de relation ont été infructueuses. Les quelques personnes qui m'ont approché l'ont fait par intérêt financier. Donc, je me suis vraiment découragé à propos des relations amoureuses.

J'admire et je félicite ceux qui ont arrangé votre amour. Garde-le en lieu sûr pour que les yeux envieux ne vous gênent pas. N'allez pas publier votre bonheur aux quatre vents, parce que ce n'est pas sain. Aimez votre partenaire dans votre intimité sans avoir à en rendre compte à qui que ce soit.

Si vous améliorez votre côté financier, est-il vrai que vos amis s'éloignent ?

C'est vrai dans certains cas. Lorsque nous construisons des amitiés juste pour l'intérêt, il est normal que vos progrès financiers contrarient vos ennemis. Mais si vos amis sont vrais, ils vous soutiendront à chaque étape de votre vie, sans plus d'explications.

Lorsque vous avez plus d'argent, les priorités d'une personne changent. Ils commencent à voyager davantage, à aller dans des endroits plus restreints, à avoir moins de temps pour leurs vieux amis, entre autres choses. Cela peut détruire les relations précédentes ou même s'éloigner pendant un certain temps. Ensuite, la personne a accès à d'autres choses plus intéressantes, fruits de son progrès financier.

Il y a aussi la distanciation naturelle entre les riches et les pauvres. Comme vous avez changé votre niveau de vie, il est naturel que vous mainteniez peu d'amitiés du cycle précédent et que vous vous fassiez de nouveaux amis. Cela se produit lorsque vous passez à un meilleur emploi ou que vous acquérez une entreprise.

Cependant, je le dis-le encore une fois : les meilleurs amis restent avec vous, quelle que soit la situation. Alors, sachez apprécier les vrais amis et pas seulement ceux qui sont à vos côtés pour des intérêts financiers. Croyez-moi : votre bonheur dépend aussi des bonnes relations que vous construisez tout au long de votre vie.

Pour rester en bonne santé émotionnelle, ne prenez pas personnellement les actions des autres

Non! Ne prenez pas l'attitude de l'autre personne à un côté extrême de la réalité. Il est nécessaire de réfléchir et de s'interroger sur les motivations alléguées par les autres pour soutenir leurs attitudes. Ce n'est pas toujours une persécution ou une lutte personnelle que de recevoir de mauvaises attitudes de la part des autres. Que ce soit en amour ou au travail, l'équilibre émotionnel est essentiel pour que nous ayons un bon résultat.

Au travail, un certain nombre de facteurs motivent votre patron ou votre coordinateur à prendre des décisions. Oui, il est vrai que dans de nombreux cas, il y a une persécution explicite de l'employé sans aucune justification. Mais dans d'autres situations, il ne s'agit que d'une analyse de votre travail, même si ce n'est pas juste pour vous.

Dans mon cas, dans mon travail, je n'ai jamais été aimé par la plupart de mes collègues. J'ai donc été attaqué de diverses manières au cours de mes trois emplois. C'était de la persécution pure. J'ai toujours été un travailleur industrieux, qui travaillait toujours plus dur que les autres. Lorsque j'ai obtenu des résultats de performance impressionnants, ils ont justifié que je produisais plus parce que j'avais fait les mauvaises procédures. Alors que je traitais quatorze dossiers par jour, mon collègue ne s'occupait que de deux dossiers. Et croyez-moi, nos notes d'évaluation étaient identiques. Ainsi, notre évaluation de la performance n'a pas été mesurée par la question du travail, mais par une affinité personnelle que nous avions avec le manager. Cela allait à l'encontre de toutes les normes publiques d'évaluation des entreprises.

D'autre part, lorsqu'il s'agit d'amour, nous entrons dans une relation avec de nombreuses attentes quant à la façon dont l'autre peut nous traiter. Si l'autre personne est impolie avec vous et vous blesse exprès, ce n'est pas un bon partenaire. Si l'autre personne vous blesse avec des mots ou physiquement, ce n'est pas un bon partenaire. Si votre partenaire n'a pas ses besoins de base, il n'est pas un bon partenaire. Si votre partenaire n'apprécie pas votre entreprise ou ne met pas un point d'honneur à être là, il n'est pas un bon compagnon. Si votre partenaire est plein de jalousie sans raison, ce n'est pas un bon partenaire. Si votre partenaire veut vous contrôler, ce n'est pas bon pour vous. Donc, en résumé, si l'attitude de votre partenaire est mauvaise pour vous, il est temps de repenser cette relation. Ne le prenez pas toujours personnellement. Nous devons avoir la maturité nécessaire pour comprendre que lorsque la relation ne fonctionne pas, la responsabilité est égale pour nous deux.

En comprenant ce que l'autre attend de nous, nous nous débarrassons de cette pensée d'accuser tout le monde comme s'ils étaient tous des ennemis. Ce n'est pas toujours le cas. Travailler est compliqué. Les gens sont compliqués par nature. Comprendre ces relations comme inhumaines nous place dans le rôle de protagoniste. Pensez davantage à vous-même et à votre santé. Faites de votre bien-être une priorité dans votre vie. Même si cela vous fait mal, jetez ce qui vous fait mal.

Peut-être qu'avoir un bon équilibre émotionnel est la clé du succès pour beaucoup de ceux qui veulent avoir une place au soleil. Peut-être aussi être énergique dans nos décisions, nous mettre à notre place, cela affecte les relations de travail et d'amour. Personne ne plaisante avec ceux qui sont sûrs d'eux-mêmes. Personne ne joue avec ceux qui connaissent leurs droits. Personne ne joue avec ceux qui connaissent leur vraie valeur. Croyez en chacun de vos droits et ne laissez personne vous manquer de respect à cet égard.

Bref, soyez sûr de vous, de ce qu'ils vous font. Assurez-vous des faits, afin de ne pas vous compliquer la tâche. Assurez-vous qu'il est proposé contre vous. C'est la seule façon de répondre à votre question. N'oubliez pas que tout n'est pas ce que nous imaginons.

À propos de Nilo Peçanha

Nilo Peçanha est né dans la ville de Campos de Goytacazes dans l'État de Rio de Janeiro. Diplômé en droit, il s'est lancé dans le domaine politique. Il fut plusieurs fois conseiller municipal et député, ce qui confirma la thèse selon laquelle il serait un bon administrateur.

Il a été vice-président d'Afonso Pena. À sa mort, il a assumé la fonction de président, ce qui a été un défi majeur dans sa carrière politique. Le Brésil était plongé dans un profond chaos et avait un besoin urgent de modernisation. Il avait donc l'impression d'avoir une grande responsabilité sur les bras.

En un an de gouvernement, il a mis en œuvre d'importantes réformes administratives qui ont permis la croissance du Brésil. Sa période de gouvernement a été louée même par ses plus grands critiques. Le Brésil connaît une croissance rapide dans tous les domaines.

À la peau brune, il était un partisan du groupe racial noir. Son gouvernement était perçu comme un gouvernement moderne, où les revendications des minorités étaient satisfaites. Cependant, les préjugés sont restés enracinés chez la plupart des gens.

Il mourut jeune, alors qu'il n'avait que cinquante-six ans. Malgré cela, il a laissé sa marque en tant que grand politicien national. Certes, Nilo Peçanha était l'un des hommes politiques les plus en vue du pays.

L'histoire de Duarte

Duarte est né et a grandi dans la banlieue de Rio de Janeiro, dans la région d'Aleman. Issu d'une famille modeste, il est descendu très tôt et a dû faire face aux problèmes les plus variés qui s'y rattachent. Être pauvre et vivre dans la banlieue d'une capitale nous expose à divers problèmes sociaux auxquels nous devons faire face. C'est un environnement plein de ruse, de banditisme, de vols, de viols, de grandes inégalités et d'injustices. Vivre dans un environnement aussi hostile est un mauvais signe pour la vie.

En vieillissant et en ayant des besoins matériels, il a commencé à tout expérimenter. Il a participé au trafic de drogue, au vol, au commerce illicite, ce qui lui a procuré un plaisir momentané. Mais au fil du temps, il a ressenti une certaine tristesse en lui-même. En vérité, ces actes ne le rendaient pas heureux parce qu'il avait une âme douce, pure et honnête.

C'est à ce moment-là qu'il s'est accroché à sa religiosité et à son éducation. Avec ces deux choses, il a appris l'éthique nécessaire pour être une bonne personne et cela lui a donné beaucoup d'encouragement et de bonheur. Il a commencé à travailler et a commencé à conquérir des choses triviales qui lui donnaient un plaisir et un bonheur intenses. Il était déjà loin des ténèbres parce qu'il avait de bons professeurs et une bonne compagnie qui guidaient ses actes de charité.

C'est à ce moment-là qu'il a grandi professionnellement et amoureusement. Avec un bon niveau d'éducation, il a obtenu de bons emplois qui ont guidé son mode de vie et stimulé ses actions caritatives. De plus, il a gagné l'amour d'une belle femme, qui était son fondement émotionnel pour la vie. La vie de scandale a été laissée derrière lui et c'était un homme austère, poli, heureux, compréhensif, généreux et charitable. Tout se passait très bien, faisant des constructions importantes dans sa vie et dans la vie des autres.

En choisissant le bien, Duarte a compris les vraies valeurs de la vie : le bien sans regarder qui, quelles que soient les circonstances. Il est devenu un exemple que nos conditions sociales ne définissent pas notre avenir en tant que personne. C'est notre caractère qui nous guidera dans les subtilités de la vie. Bravo à tous ceux qui se remettent d'une situation difficile.

L'amitié au travail

Nous n'avons pas d'amis au travail. Lorsque nous portons cette certitude avec nous, les choses deviennent plus simples. Lorsqu'un collègue vous fait du mal, vous ne souffrirez pas autant en espérant qu'il soit votre ami. Un rejet au travail fera moins mal quand on saura de quoi il s'agit vraiment.

Au travail, nous sommes entourés de personnes plus ou moins hiérarchisées. Il y a ceux qui sont supérieurs et d'autres qui vous sont inférieurs, en ce qui concerne la position que vous occupez. Le secret pour bien mener le travail est de traiter tout le monde de la même manière, le plus haut et le plus bas. Vous voulez avoir une bonne relation avec tout le monde, même s'il s'agit d'un environnement hostile.

Je n'ai pas eu de chance dans les emplois. Dans les trois emplois que j'ai occupés, j'ai eu de gros problèmes. Dans chacun d'entre eux, ma présence était une nuisance pour les autres. Dans tous les cas, ils voulaient me transférer dans un autre endroit comme si j'étais insupportable. À cause de ces mauvaises expériences que j'ai eues, je vois le travail comme quelque chose de mauvais dans l'aspect relationnel. Les avantages financiers sont bons, les vacances, la contribution à la retraite, mais il y a certaines personnes qui terrorisent simplement votre vie par envie, par dépit, et parce qu'elles vous veulent du mal.

Face au dilemme entre le travail et les affaires, je crois qu'avoir sa propre entreprise est le meilleur choix pour ceux qui peuvent entreprendre. Posséder sa propre entreprise apporte la liberté financière mais aussi l'instabilité. Mais il y a plusieurs entrepreneurs qui réussissent et qui nous montrent que les affaires sont le meilleur modèle de survie.

Avoir un ami au travail ou dans votre propre entreprise est pratiquement impossible. Essayez donc de nouer des amitiés en dehors du travail, car c'est un environnement moins hostile avec moins de responsabilités. Votre ami sera votre soutien dans les moments difficiles. C'est comme le dit le dicton : mieux vaut un ami sur la place que de l'argent déposé à la banque.

Cela dit, ne vous laissez pas berner par les amitiés au travail. Si quelqu'un est digne de confiance, soyez votre ami. Mais cette situation est extrêmement rare. Soyez donc respectueux de tout le monde mais gardez la distance dont vous avez besoin pour vous entendre. Une bonne distance permet de maintenir de bonnes et fructueuses relations au travail sans implication personnelle majeure.

Pourquoi est-il si difficile de trouver un ami au travail ? Pourquoi les relations de travail sont-elles inconstantes ? Rapidement, les choses de l'entreprise changent instantanément, puis les fausses amitiés au travail s'effondrent. Il est extrêmement difficile de maintenir une amitié fidèle au travail pendant longtemps.

Il serait préférable de rester sans amis au travail, mais ce n'est pas toujours possible. Il y a en effet des gens qui s'impliquent avec les gens au travail, au péril de leur tranquillité d'esprit. Je souhaite donc bonne chance à ces personnes. Personnellement, je n'ai pas eu de résultats satisfaisants avec cela. Tout simplement, les gens avec qui j'entrais en contact au travail étaient, pour la plupart, des gens qui me faisaient du mal. Ce sont de grands traumatismes que j'ai accumulés au cours de ces quinze années de travail dans la fonction publique. Ce sont des souffrances que je ne souhaite à personne.

Bref, je félicite les gens qui ont réussi à trouver une amitié au travail. Mais je vous recommande de ne pas vous attendre à cela dans votre travail comme si c'était la règle. Il est préférable de garder une distance professionnelle avec tout le monde, afin de ne pas vous blesser autant émotionnellement. Il est préférable d'être tranquille dans votre coin, de faire votre travail de manière professionnelle. Ce n'est qu'ainsi que les relations professionnelles dureront plus longtemps et seront plus efficaces.

Quelle est mon expérience du célibat ?

La meilleure expérience possible car j'ai toujours la compagnie de mes frères. Je ne sais pas ce qui m'attend dans l'avenir, et je ne veux pas le savoir. Ces choses de l'avenir dépriment n'importe qui. Être célibataire, c'est être libre de prendre des décisions sans attendre l'approbation de qui que ce soit. C'est aller à une fête et revenir quand on veut. C'est vivre seul et pouvoir être nu sans soucis majeurs. C'est être le maître de sa propre volonté.

Être marié avec moi est une mauvaise affaire. Nous exerçons des responsabilités envers notre femme, nos enfants et nous-mêmes, c'est vraiment terrible. Être célibataire, en revanche, vous apporte moins d'expériences négatives. Je me sens incroyablement heureuse d'être célibataire.

J'ai appris à me conformer au fait d'être célibataire après les dix mille rejets d'amour que j'ai reçus. Puis je me suis réveillée à la vie et je suis devenue un exemple d'amour qui s'aime lui-même et qui aime Dieu par-dessus tout. Je me sens bien et préparée à être seule. Mais je n'exclus pas de sortir avec quelqu'un à un moment donné de ma vie si c'est possible. Peut-être que je n'ai tout simplement pas trouvé la bonne personne avec qui me connecter.

Pour construire des relations amoureuses solides, nous devons prendre soin de nous

Même si une relation amoureuse vous fait du bien et construit quelque chose de significatif dans votre vie, il est nécessaire d'analyser les priorités. Si vous donnez trop, mais que vous ne voyez pas le compromis, il est temps de revoir les décisions. D'abord et avant tout, prendre soin de soi est une attitude d'honnêteté envers soi-même.

Avant de vous lancer dans une relation amoureuse sans issue, apprenez votre amour de soi. Sachez exactement ce qui vous fait vous sentir bien et ce qui vous rend heureux. Lorsque nous nous aimons intensément, nous connaissons notre valeur et n'acceptons aucune situation émotionnelle comme bonne.

Aimez-vous d'abord. Soyez heureux avec votre entreprise. Prenez soin de vous. Ne vous privez pas de vos affaires. Avoir de la joie dans la vie et une mise à jour émotionnelle. Lorsque nous ne nous soumettons pas à de mauvaises situations, nous faisons le premier pas vers la réalisation de notre bonheur personnel. Et être heureux, c'et s'aimer soi-même et aimer les autres. Attendre moins des autres est la chose la plus sage que vous puissiez faire.

Prendre soin de soi nous amène à comprendre notre importance sur ce plan astral. Même si les gens ne vous apprécient pas, vous aurez votre bonheur entre vos mains parce que votre bonheur ne dépend que de vous, de vous mettre en premier. Le reste importe peu. Pour un monde avec des gens plus résolus émotionnellement.

Il ne sert à rien d'exiger des autres si vous n'agissez pas vous-même. Il ne sert à rien d'exiger des politiciens ce qui relève de leur responsabilité. Attendez-vous à moins, agissez plus. C'est un excellent conseil pour la vie.

J'ai toujours poursuivi mes rêves, même si les choses étaient extrêmement difficiles. Et les choses ont fonctionné. J'étais en train de conquérir plusieurs de mes rêves avec mes propres efforts. Alors, j'ai fait mon bonheur de ces choses insignifiantes.

Quand les choses ne fonctionnaient pas pour moi, je refaisais simplement ma planification ou bien j'abandonnais ce projet et le remplaçais par un autre. Pour nous, les pauvres, il est toujours difficile de réaliser tout ce que nous voulons parce que les rêves coûtent beaucoup d'argent et c'est ce qui nous manque à nous, pauvres.

Mais même maintenant, que j'ai quarante ans, j'ai encore beaucoup de rêves et je me bats pour eux. La vie est un apprentissage éternel où nous sommes des maîtres et des étudiants. Tout le monde a un peu à apprendre et à enseigner. Et ainsi, nous traversons les années avec beaucoup de joie de vivre et avec la certitude que nous sommes importants pour ceux qui nous aiment.

Ne soyez pas indifférent, soyez prudent avec les autres

Montrer de l'indifférence est une mauvaise habitude pour beaucoup de gens. Au contraire, nous devons soutenir les gens et leur montrer à quel point ils sont importants pour nous. Avec de l'affection, nous pouvons lui montrer à quel point nous l'aimons et lui faire comprendre son importance sur terre.

L'attention, l'affection et la sollicitude sont des gestes importants dans la vie de chacun d'entre nous. Cela fait une différence significative dans l'humeur et la joie de chacun. Comme ce serait bien si tout le monde se souciait de nous. Comme ce serait bien si nous avions assez d'amour de soi et de sécurité pour aimer et nous libérer de tous les démons. Nous devons faire différemment dans chacune de nos actions.

Ne révélez vos secrets à personne

Faites attention à qui vous révèle vos secrets. Si une personne à énergie négative est au courant de vos plans, cela vous gênera beaucoup. Nous sommes tous comme des éponges, nous absorbons les bonnes et les mauvaises énergies qui nous entourent. Soyez donc extrêmement prudent lorsque vous révélez des secrets à quelqu'un.

Quand nous sommes tristes et quand nous sommes déprimés, il est bon de parler. Cependant, voyez ceux à qui vous parlez. Parfois, il est bon d'en parler à sa famille ou à ses amis proches. Mais restez toujours discret sur vos secrets les plus cachés.

Chaque fois que j'ai parlé de mes projets à quelqu'un, les choses ont mal tourné. Pour que vous voyiez à quel point il est mauvais de révéler des plans. Lorsque notre entreprise est secrète, il est plus facile de bien faire les choses. Lorsque nous ne parlons à personne de nos affaires, il est plus facile d'obtenir des choses. Alors, gardez vos secrets en sécurité.

Pensez positivement que vos rêves se réaliseront

La pensée positive est la première étape pour réaliser ses rêves. Viennent ensuite la planification et l'action. Lorsque nous pensons positivement, nous éliminons les énergies négatives de nos vies. Mais il ne sert à rien non plus de penser positif si vous ne travaillez pas pour réaliser vos rêves.

Le travail est un élément fondamental de tout projet. Avec le travail, nous pouvons enfin voir notre rêve se réaliser. Et comme nous serons heureux de vivre de grands moments en famille, en amoureux, ou entre amis. C'est formidable de réaliser des rêves, et je vous encourage à réussir.

Qu'est-ce qui résume mon expérience avec Dieu ?

Dieu a toujours été quelqu'un qui m'a aimé, par-dessus tout. C'est Dieu qui m'a toujours soutenu, même dans les difficultés. C'est Dieu qui m'a aidé dans toutes les adversités. Par conséquent, je n'ai jamais fait l'expérience d'un amour semblable à Dieu au cours de mes quarante années de vie.

Mon expérience avec Dieu remonte à l'enfance, où j'ai survécu face à des problèmes familiaux et financiers. J'ai vécu mon enfance, je me suis consacrée à mes études, j'ai fait face à des préjugés et à des difficultés financières. Être pauvre, être laid, être homosexuel ont été mes grands karmas dans une société qui est standard. J'ai donc survécu avec beaucoup d'angoisses, de déceptions, mais aussi de joies.

À l'adolescence, j'ai trouvé dans le désert ma nuit noire de l'âme. La nuit obscure de l'âme était un moment où je m'éloignais de Dieu, de mes principes, et où je me perdais dans les péchés. En apprenant le côté gauche de l'existence, j'ai pu comprendre ce que je voulais pour la vie. Alors, j'ai eu honte et je suis devenu un homme honnête et diligent. Le jeune homme qui montrait son cul était une phase que j'ai dû oublier.

J'ai grandi, j'ai mûri et j'ai obtenu mon diplôme universitaire. J'ai passé trois examens publics différents, mais aucun d'entre eux ne m'a apporté le bonheur. Je suis tout simplement plus heureux d'écrire que je ne le suis dans n'importe quel travail. C'est dommage que la littérature ne me soutienne pas. C'est une honte que les gens soient si peu favorables à la littérature des indépendants. Mais je suis la résistance. Je crois toujours que peut-être, à un moment donné, mon succès littéraire arrivera.

Aujourd'hui, j'ai quarante ans de bonheur. Je suis fonctionnaire et écrivain. Je suis le chef d'une famille qui subvient aux besoins de quatre personnes. Les dépenses avec quatre personnes dans la maison sont extrêmement élevées. Je dois continuer à travailler pour payer mes factures. Et je remercie le ciel d'avoir ce travail dans un pays où il y a beaucoup de chômeurs. J'avance dans ma vie sans aucune attente. Vive Dieu qui me donne toujours le courage de continuer à me battre pour mes rêves.

Ayez le courage de tenter votre chance

Ayez le courage de prendre un risque et de changer votre vie. Où que vous alliez, il y aura des dangers, mais si vous osez, rien de tout cela n'empêchera votre victoire. Le courage est l'une des rares qualités des gagnants qui se démarque le plus.

Je n'ai toujours pas eu le courage de faire mon sortir. Je ne l'ai pas fait parce que ma famille est traditionnelle. Donc, je préfère leur faire plaisir et avoir une bonne relation parce que nous vivons dans la même maison. Je n'ai tout simplement pas la possibilité de faire mon sortir. Si c'est le cas, je devrai quitter cette maison.

Je n'ai toujours pas eu le courage de passer de nouveaux examens publics. Comme dans mon travail actuel, je travaille à domicile et j'ai de la stabilité, je ne me sens pas motivé pour passer de nouveaux examens publics. Même si je voulais étudier, ça marcherait parce que je n'ai pas le temps d'étudier. Mon travail m'occupe-les trois fois de la journée. J'ai à peine le temps de me reposer.

Je n'ai toujours pas eu le courage d'insister sur l'amour. Après plus de 10 000 refus et vivre loin de la capitale, j'ai l'impression que mes chances de trouver l'amour sont minces. Pour vous dire la vérité, je n'ai même plus essayé, parce que je n'étais pas en contact avec ma famille.

Je n'ai toujours pas eu le courage de penser à l'avenir et aux problèmes potentiels auxquels je serais confronté. Même si je connais l'avenir, je ne veux pas penser à la catastrophe. Je veux juste vivre ma vie avec la certitude que j'ai ma sécurité et mon indépendance. C'est pourquoi je pense qu'il est si agréable d'être à la retraite. Mais pour moi, il reste encore beaucoup de temps. Environ vingt-cinq ans avant ma retraite.

J'ai le courage de vivre dans le présent et d'être heureux avec ma famille pour le reste de ma vie. Je suis incroyablement reconnaissante envers toute ma famille qui m'accompagne dans ma vie quotidienne. Il y a beaucoup de défis à relever, mais je continue d'aller de l'avant.

Pourquoi est-ce que je crois aux divinités ?

Parce que depuis que je suis jeune, j'ai été insérée dans un contexte magique où les fées, les lutins, les gnomes, les sorcières, les fantômes existent vraiment. Depuis mon enfance, où j'ai vécu dans une vieille maison hantée, ma vie a été influencée par des faits surnaturels.

L'explication que j'avais pour mes visions d'un autre monde est que j'étais un prophète puissant. Et j'ai dû faire face à cela depuis que je suis petit, quand j'étais encore un enfant. J'avoue que ce n'était pas facile du tout, mais j'ai surmonté chaque défi avec une joie et une vivacité sans bornes. Je faisais donc partie du monde matériel et du monde spirituel, ce qui faisait de moi une personne différente des autres. Quand je racontais mes expériences spirituelles, les gens me fuyaient tout simplement par peur. Cette réaction de ne pas comprendre ma spiritualité m'a rendu triste et confus.

Quelle a été ma réaction au contact d'un monde inconnu et extraordinairement riche ? J'ai dû apprendre et comprendre toutes ces choses déroutantes. Je ne comprenais pas mon don, et j'en étais de plus en plus étonné. J'ai donc décidé de l'accepter naturellement dans ma vie et j'ai continué à vivre ma vie normalement. Au fil du temps, les visions ont diminué et je suis devenue plus normale.

Alors, vivre cette réalité qui n'est pas du fantasme, mais c'est étrange pour certaines personnes. Donc, je n'en parle pas à tout le monde parce que je serais tout simplement mal compris par eux. D'ailleurs, je suis une personne normale avec des dons extraordinaires. Je suis une sorte de médium qui prédit un peu l'avenir. Donc, ce n'est pas facile non plus, mais cela m'aide dans ma vie personnelle.

Donc, oui, il y a du surnaturel sur terre. Tout n'a pas d'explication cohérente dans la vie et arrive parfois miraculeusement. Les gens rationnels cherchent une explication à tout. Cependant, accepter que les divinités existent est la réalité pour beaucoup. Malgré cela, ma plus grande croyance est en Dieu et en tout ce qu'il permet d'arriver. Au croyant, il promet la victoire. Il promet au croyant sa protection : même si je marche dans la vallée de l'ombre de la mort, je ne craindrai aucun mal, car vous êtes avec moi. Alléluia et bénédictions à nous tous, rêveurs.

Parler de l'intimidation à l'école

Pourquoi est-il si important de parler de l'intimidation à l'école ? Parce que c'est quelque chose de banal de nos jours pour beaucoup de gens et pas seulement à l'école. Parler de l'intimidation est crucial pour protéger nos enfants et les empêcher de sombrer dans la dépression, le désespoir ou même de devenir déprimés. Plus on parlera d'intimidation, plus il sera facile d'éviter une situation embarrassante à cet égard.

Qu'est-ce que l'intimidation ? C'est une façon de maltraiter, de mépriser ou même d'exclure une personne qui n'est pas à la hauteur d'un standard acceptable par la société. Les personnes qui en souffrent sont : les homosexuels, les transsexuels, les Noirs, les laids, les pauvres, les mendiants, les enfants des rues, les orphelins, les personnes souffrant d'un handicap physique et certaines femmes. Cette attitude nous blesse beaucoup parce que personne ne veut être ami avec nous. Se sentir exclu, c'est comme être poignardé dans la poitrine.

J'ai été victime d'intimidation à la famille, à l'école, au travail, tout cela à cause de mon homosexualité. J'avais l'impression d'être la pire des personnes parce qu'ils ne voulaient pas être mes amis. Mais au fil du temps, j'ai réalisé que je valais beaucoup. J'ai fini par réaliser que je devrais m'aimer beaucoup plus et ne pas me soucier de ce que les autres me faisaient. Aujourd'hui, à quarante ans, je suis une personne très stable. Aujourd'hui, je m'aime et j'avance en me battant pour mes rêves comme s'il y avait toujours de l'espoir. C'est ma grande foi qui m'a fait endurer toutes les difficultés.

Je suis donc un exemple remarquable qu'il est possible de survivre à l'intimidation. Alors pourquoi devrions-nous discuter de cette question à l'école avec les enfants ? Pour qu'ils aient cette conscience réfléchie, de se mettre à la place des autres. Pour que cette culture de l'intimidation ne se perpétue plus chez nos enfants.

Ce que nous voulons, c'est un environnement sain et respectueux dans l'école, où les élèves, les enseignants et le personnel ont une communication efficace et font un excellent travail qui se traduit par un bon apprentissage final.

Pourquoi les gens deviennent-ils enchantés par le pouvoir et veulent-ils dominer les autres ?

Parce que les gens sont frivoles, ils sont égoïstes et ils veulent posséder le monde. Ils veulent humilier et mépriser les autres et ne savent pas comment utiliser le pouvoir administratif pour faire le bien. Ce pouvoir administratif est utilisé pour cacher ses défauts, pour rabaisser les pauvres et pour exercer son pouvoir d'autorité sur les autres. L'excès de pouvoir entraîne de grands dommages mentaux chez de nombreuses personnes.

Pourquoi cette passion pour le pouvoir émeut-elle et émeut-elle tant de gens ? Parce que la fonction publique est synonyme de pouvoir, d'ostentation sociale et d'influence. Beaucoup se sentent en sécurité en dominant les autres, en semant la terreur dans la vie des autres. Et donc, nous voyons beaucoup de gens être esclaves de leur travail et esclaves d'eux-mêmes. Ils ne vivent pas leur vie, ils ne font que survivre.

Avoir le pouvoir entre ses mains peut être psychologiquement supportable, une façon de se dépasser avec les autres. Avoir le pouvoir entre vos mains vous donne de nombreux avantages économiques, financiers et administratifs. Avoir le pouvoir entre vos mains peut être le seul moyen pour quelqu'un qui est incompétent de rester au travail. Et qui est vraiment le héros de cette histoire ? C'est le travailleur ordinaire. C'est cette personne qui fait fonctionner les institutions. C'est la main-d'œuvre qui produit des résultats concrets. C'est un projet qui produit vraiment quelque chose de fructueux pour la nation.

Il est vraiment nécessaire d'avoir des postes élevés pour les politiciens, les gestionnaires et les dirigeants. Nous vivons dans une démocratie qui signifie : le pouvoir qui émane du peuple. Mais que nous sachions choisir les bonnes personnes pour ces fonctions afin de ne pas surcharger le travailleur. Parce que si nous élisons les mauvaises personnes, c'est tout le front productif qui sera affecté et aura des résultats chaotiques et négatifs.

Ainsi, le pouvoir lui-même n'est pas mauvais. Il y a plusieurs exemples de personnes au pouvoir qui ont fait un excellent travail pour le collectif. Ce qui est mauvais, c'est quand vous avez l'impression de posséder le monde à cause d'un titre de poste, et cela arrive assez souvent. Ainsi, le pouvoir peut être bon ou mauvais, selon la personne en question.

L'histoire de Saül, grand juriste brésilien

Travailler en tant que spécialiste du marketing

Ce fut un autre jour de labeur dans la vie du cher Saül. Récemment diplômé en droit, il a fait un travail quotidien en tant que vendeur ambulant tout en n'obtenant pas un meilleur emploi. Saül était un jeune homme beau, agréable, poli et doté d'un grand charisme.

Marie

Cher Saul, aujourd'hui je viens acheter des choses sur ton étal. Comment cette force va-t-elle ?

Saül

Je vais très bien, madame Maria. La dame est tellement drôle qu'elle me fait rire. Mais sérieusement, qu'est-ce que tu veux pour aujourd'hui ?

Marie

Je veux quelques choses importantes : melon, pastèque, citrouille, ananas, patate douce, manioc et igname. J'en veux une douzaine de chaque. Je vais faire une fête et réunir toute la famille.

Saül

Je vais vous expliquer cela tout de suite. C'est génial, ça va être une grande fête, n'est-ce pas ?

Marie

C'est quelque chose de plus privé, mais pour toute la famille. Si vous le souhaitez, vous pouvez vous arrêter et nous rendre visite. Je fais une exception pour vous.

Saül

Merci beaucoup, ma chère. Mais je vais travailler pendant les trente prochains jours. Je suis en train de renverser la vapeur. J'ai besoin d'améliorer ma vie de toute urgence parce que je veux épouser ma belle fiancée bientôt.

Marie

Très bien. C'est ainsi que les hommes responsables procèdent. Je connais ta fiancée. Raquel est vraiment une femme chanceuse d'avoir un homme avant-gardiste à ses côtés. Un homme qui s'efforce chaque jour de donner le meilleur de lui-même.

Saül

Merci beaucoup pour le compliment. Je fais toujours de mon mieux. Voici votre demande. Revenez souvent et que Dieu vous accompagne.

Marie

Merci beaucoup, ma chère. Vous êtes toujours l'amour d'une personne. Je recommanderai votre tente à d'autres. Croyez-moi, votre succès grandira encore plus si cela ne tient qu'à moi.

Saül

Je vous remercie infiniment pour tout votre soutien. Je crois au pouvoir du travail pour rendre la vie meilleure. Je ne me reposerai pas tant que je ne serai pas dans une situation financière stable. Je vous promets que je ferai de mon mieux.

Marie

Croire. Vous êtes notre fierté à tous. Bonne chance dans vos projets.

Ils ont fini par se séparer. Qu'est-ce que le destin a réservé à l'avenir de Saül ? Personne ne le savait. Mais sans attendre l'avenir, il travaillera intensément à la poursuite de ses objectifs les plus immédiats : avoir une famille, une stabilité financière, une profession réglementée, voyager, avoir des enfants, donner le bon exemple, avoir la foi comme fondement des projets.

Il a traversé son enfance, sa jeunesse, et maintenant, à l'âge adulte, vingt-cinq années bien vécues s'étaient écoulées. Il avait vécu cette période intensément, donnant la priorité à chaque détail qui pouvait le faire s'épanouir et aller de l'avant. Oui, c'était le genre d'homme traditionnel qui croyait en Dieu, en la famille et en une société juste pour tous. Mais jusqu'à ce qu'il soit réalisé, il y avait encore un long chemin à parcourir.

Sur ce chemin, il a été aux côtés de sa famille, leur grande inspiration et motivation pour qu'il étudie, grandisse et se développe. À travers l'exemple de son père maçon et de sa mère femme au foyer, il a appris les valeurs propres de la vie, l'éthique nécessaire pour avoir du caractère, la valeur du travail, et cela lié à ses rêves les plus intimes. Il voulait gagner, surmonter les obstacles et trouver la raison de la vie. La vie l'a poussé à se battre pour ses rêves et il le fera aux côtés de sa fiancée Raquel, qui était une femme compréhensive, travailleuse et charismatique. Ensemble, ils forment un couple parfait et rêvent bientôt d'enfants et d'une union consolidée. Ils n'étaient qu'à quelques mois d'y parvenir.

Aussi important que sa famille, sa relation avec Dieu et sa religion, il a été son guide dans les moments difficiles. Apprendre de Dieu, de ce qu'il veut pour nous, fortifie l'âme de chacun. Avec la bonne direction que la religion nous donne, les êtres humains se connectent à des valeurs pures, qui guident leur vie dans les choses triviales et dans les grandes victoires. Bien que la situation puisse parfois sembler difficile, il était toujours rempli d'encouragements et de foi que les choses s'amélioreraient. Cela a fait de lui un exemple pour tous ceux qui, pour une raison ou une autre, ne croyaient pas en Dieu.

En ce qui concerne son travail dans la société, il a contribué par son travail à la collecte des impôts, à la création d'emplois et de revenus, à la défense des moins favorisés et à générer plus de justice et d'égalité entre les peuples. Un bon exemple de père, de fils et de mari pour que chacun apprécie ses réalisations individuelles et en soit heureux. Il montre, avec son travail, que c'est possible, même si l'on vit avec des victoires, même s'il y a un capitalisme exacerbé et avec peu d'opportunités pour les entrepreneurs.

Mais qu'est-ce qui le distingue au travail ? Sa persévérance face aux défis fait de lui un véritable gagnant. De nombreuses luttes des travailleurs et des entrepreneurs sont invisibles pour les autres. Mais ils sont là, jour après jour, travaillant sans relâche pour eux-mêmes, pour leurs familles et pour la société dans son ensemble. Ce qui fait de ces personnages un héros, c'est leur simplicité, leur humilité et leur travail acharné. Ce sont les travailleurs invisibles de notre Brésil.

Mais rien de tout cela ne serait possible s'il ne portait pas en lui son éthique, son caractère et ses épaules. C'est un être humain remarquable, qui ne s'est jamais égaré à droite ou à gauche. Soit dit en passant, nous avons tous des défauts, mais ses défauts étaient mineurs par rapport à la majorité de la population. Il a travaillé trop dur. Donc, je n'ai pas eu le temps de penser à des bêtises.

Tout cela exposé, nous voyons dans Saül, un modèle d'homme presque parfait. Un homme honnête, très travailleur, familial et engagé dans des causes sociales. Son chemin n'en était encore qu'à ses balbutiements, mais il promettait beaucoup de choses nouvelles. Que Dieu vous bénisse dans chacun de vos projets.

Travailler en tant qu'annonceur radio

Saül était un homme aux multiples travaux. En plus d'être vendeur ambulant, il travaillait à la fin d'une semaine, en tant qu'annonceur pour une station de radio. Suivons l'un de leurs programmes.

Saül

Madame Julia, comment allez-vous ?

Julia

Je vais très bien, merci. Je me sens bizarre de quitter le travail de la ferme pendant un certain temps. Mais s'il s'agit d'une déclaration personnelle, je pense que c'est très valable.

Saül

Et nous apprécions votre présence parmi nous. Nous savons à quel point le travail d'un agriculteur est difficile. C'est pourquoi nous sommes si fiers de nos agriculteurs. Comment s'est déroulée votre histoire à la campagne ? Avez-vous travaillé depuis que vous êtes toute petite ?

Julia

Oui. Mon père et mes frères travaillaient dans la plantation de tomates de l'usine de poisson. Nous étions une famille très unie qui survivait grâce aux revenus de la ferme. C'était une époque cruelle. Nous avons perdu la vie au travail au lieu d'étudier.

Saül

Ce qui était incroyablement triste pour les plus petits. Le Brésil a vraiment vécu des périodes de misère dans le nord-est du Brésil.

Julia

Mais nous avons survécu. Quand je regarde tout ce que nous avons vécu dans le passé, nous ne voulons pas la même chose pour nos enfants. Nous voulons qu'ils étudient, grandissent et se développent en bonne santé.

Saül

Vérité. J'ai un diplôme en droit. Savez-vous ce que je veux d'autre ? Défendez les pauvres asservis de notre système de travail. C'est une question de justice et de charité dans un pays aussi nécessiteux que le nôtre. Depuis que je suis tout petit, je suis conscient de ce besoin pour notre population.

Julia

Autrefois, nous n'y pensions même pas. Nous voulions juste survivre dans un monde orageux et injuste. Malgré les revers, nous avons gagné. Aujourd'hui, mes frères et moi, sommes des personnes stabilisées, heureuses et épanouies. Nous continuons à aimer notre travail dans les champs, ce qui apporte beaucoup à l'ensemble de la nation.

Saül

Oui, c'est notre fierté à tous. Les agriculteurs familiaux sont l'élément vital de notre économie. Une œuvre digne qui doit être pérennisée. Félicitations, madame. Merci pour le temps que vous nous avez consacré à cette interview.

Julia

Je vous remercie de m'avoir donné l'occasion de le faire.

Cette interview nous pose essentiellement une question : quelle est l'importance des agriculteurs familiaux au Brésil ? Malgré un scénario agricole favorable, avec de nombreux grands domaines et une production agricole importante, le travail des agriculteurs familiaux reste essentiel. C'est grâce au travail de l'agriculteur familial que de nombreuses régions de l'intérieur du Brésil sont approvisionnées en légumes, fruits et légumes verts. Cette activité millénaire est à la base de l'économie de nombreuses petites villes du nord-est du Brésil.

La contribution de l'agriculteur familial est d'une importance capitale car elle apporte de grands avantages à la population en général. Alors que l'ouvrier de la ville travaille dans le commerce, l'industrie et d'autres services, il goûte les fruits du champ à travers son travail. C'est un échange bénéfique pour tous les agents de l'économie.

Avec des pluies abondantes et un ensoleillement, il est possible d'avoir une bonne production et un bon bénéfice. Cela ralentit l'exode rural, ce qui oblige les agriculteurs familiaux à rester à la campagne. C'est vital pour la campagne et la ville. De plus, nous avons la préservation de la culture rurale, de son folklore, de ses légendes, qui ne subsistent que si l'agriculteur reste à la campagne. Avec le déménagement vers la ville, une grande partie de sa culture se perd au fil du temps.

Le travail décent de l'agriculteur familial contribue également à la préservation de la nature, car ses pratiques de travail sont non invasives, contrairement à la culture agricole traditionnelle à grande échelle. En général, les gens préfèrent les produits biologiques, qui sont ceux produits par les agriculteurs familiaux, car ils sont sains et sans danger de contaminer les êtres humains avec des maladies dangereuses.

Par conséquent, nous voyons à quel point la figure de l'agriculteur familial est importante pour l'économie brésilienne. Que nous ayons plus d'incitatifs gouvernementaux, de politiques publiques pour ce secteur, plus de respect, plus de dignité et plus de possibilités de croissance. Je tiens à remercier les fermiers familiaux et Saül d'avoir défendu cette classe. Félicitations à Saül pour son travail en tant qu'annonceur radio, connaissant son importance sociale.

Participer à une émission de télévision

Saül a commencé à se faire un nom en tant qu'avocat, animateur de radio et homme d'affaires. Bientôt, sa renommée s'est répandue dans tout le Brésil, ce qui lui a valu une interview dans l'une des émissions les plus importantes de la télévision brésilienne. Voyons comment s'est déroulée cette entrevue.

Kaline

Eh bien, commençons le programme par « légalement parlant ». Aujourd'hui, nous accueillons l'un des plus grands avocats du pays. Il est également entrepreneur et animateur radio. Nous recevons, avec un grand honneur, le cher docteur Saül. Présentez vos premières contributions.

Saül

Merci beaucoup pour l'invitation. Je m'appelle Saül Silva. Je suis avocate, entrepreneure et animatrice à la radio. Je suis ici pour apporter un peu de connaissances au grand public.

Kaline

Qu'est-ce qui vous a motivé à poursuivre des études en droit ?

Saül

Je viens d'une famille très modeste. J'ai pris conscience dès mon plus jeune âge des préjugés que les gens ont contre les Noirs, les homosexuels, les transsexuels, les pauvres, les femmes, les enfants des rues, les mendiants et les orphelins. J'ai donc décidé d'aller à la faculté de droit pour donner du temps et voter à ce public réprimé dans la société. Vraiment, mon travail d'avocat est très gratifiant pour ces personnes. C'est la raison d'être avocat : faire du bien aux gens.

Kaline

C'est vraiment une source d'inspiration pour nous tous. Selon vous, quelles sont les grandes injustices au Brésil ?

Saül

La faim, la sécheresse, les inégalités sociales, les préjugés, la corruption et la violence. Ce sont là quelques-uns des problèmes majeurs du Brésil, qui est un pays du tiers monde et en développement. Mais savez-vous pourquoi nous ne sommes pas développés ? Bien que nous ayons une grande richesse naturelle, culturelle et économique, il y a un manque de planification et il y a beaucoup de déviations. Les inégalités continuent de croître dans un pays où seuls les riches ont de la valeur. C'est une lutte interne entre les riches et les pauvres pour voir quel politicien se représente le mieux. C'est dommage parce que les Brésiliens devraient être plus unis.

Kaline

Si vous étiez président d'un jour, que feriez-vous pour le pays ?

Saül

Saül

Il réduirait les impôts, ferait payer davantage les riches, aiderait davantage les pauvres avec des programmes de génération de revenus et diverses aides, accorderait une subvention aux artistes en général, investirait davantage dans l'éducation, la santé et la sécurité, réduirait les avantages des politiciens et autres fonctionnaires, réduirait les gros salaires, lutterait contre la sécheresse. Tous les problèmes auxquels le Brésil est confronté ont des solutions simples, mais il y a un manque de volonté politique pour le faire.

Kaline

Quel est l'avantage du métier d'annonceur radio ?

Saül

C'est un travail particulièrement important et très honorable pour toute ma région. Il s'agit d'une émission hebdomadaire dans laquelle nous discutons des besoins de la communauté, des problèmes de la municipalité, interviewons des personnes qui font une différence, bref, nous apportons un bon divertissement à notre auditoire.

Kaline

Qu'est-ce qui vous a le plus marqué dans cette trajectoire d'animateur radio ?

Saül

C'était l'interview de Madame Julia, une agricultrice familiale. Elle m'a vraiment conquise par sa détermination, son courage et sa volonté de gagner. Julia est un exemple de femme guerrière du Nord-Est, un exemple qui dépeint fidèlement ce que sont les gens du Nord-Est.

Kaline

Comme c'est mignon. Félicitations pour votre travail en tant que radiodiffuseur. Maintenant, dites-moi : comment s'est passée cette histoire d'entrepreneur dans votre vie ?

Saül

Depuis mon plus jeune âge, j'ai compris que l'entrepreneuriat est la clé d'une réussite financière, professionnelle et exceptionnelle. J'ai donc commencé en tant que spécialiste du marketing. J'ai économisé de l'argent et j'ai démarré d'autres entreprises. Actuellement, je suis l'un des entrepreneurs les plus importants du Brésil. Tout cela n'a pas été facile du tout. C'est le résultat de nombreuses années de travail.

Kaline

Très malin de votre part. Quels conseils donneriez-vous aux jeunes qui s'inspirent de votre trajectoire ?

Saül

Risque. Voyez quel est votre potentiel, étudiez-le et planifiez vos investissements. Avec les bons outils, le succès est tout à fait réalisable. Allez-y toujours et bonne chance.

Kaline

Nous venons d'entendre le Dr Saul. C'était une excellente interview. C'était formidable d'entendre parler d'une personne qui a réussi. Que cela serve d'exemple à beaucoup de gens qui ne croient pas en leurs rêves. Installez-vous confortablement et revenez souvent.

Saül

Je dois juste être reconnaissante. Être ici à la télévision nationale est le couronnement de toute une trajectoire. Je veux juste aller de l'avant et être encore plus heureux dans la vie. Un baiser à ma femme, à mes enfants et à tous ceux qui m'admirent.

Le public applaudit bruyamment. C'était l'un des personnages principaux au Brésil ces derniers temps. C'était un homme serein, poli, gentil avec une présence scénique incroyable. Il était le plus grand exemple de la philosophie suivante : croyez en vos rêves. Un exemple à suivre par tous, mais chacun a sa propre histoire à raconter. Bonne chance à tous ceux qui se battent chaque jour pour leurs rêves.

Résumé final

Saül a pu vivre une vie prospère et heureuse grâce à ses propres efforts. Après l'interview télévisée, il est devenu encore plus célèbre parmi les Brésiliens. Sa fortune n'a cessé de croître grâce à sa grande intelligence.

Dans le domaine des études, il a suivi un cours et est devenu juge. Il est devenu un juriste reconnu, avec de grandes contributions au droit. Il s'est également engagé dans des programmes sociaux qui soutiennent les pauvres et les marginalisés. Il est devenu tout ce dont ses parents rêvaient, mais cela n'a été possible que grâce à son engagement et aux bons paris. Bravo à ce grand entrepreneur qu'est le Dr Saül.

Que choisir : un emploi public, un emploi privé ou une entreprise ?

Les deux situations présentent des avantages et des inconvénients. L'emploi public offre une stabilité en échange d'une rémunération. L'emploi privé offre un salaire pour ses services, mais sans stabilité d'emploi. L'entreprise, quant à elle, propose une activité évolutive. Mais au moindre faux pas, vous perdez l'argent investi. Au Brésil, la plupart des entreprises ferment leurs portes au cours des premières années de leur existence.

Pour les personnes qui veulent la stabilité financière, la sécurité, les droits du travail, les congés payés, une meilleure organisation du temps, sans se soucier des ventes ou de quoi que ce soit d'autre, l'emploi est la meilleure option. Les inconvénients tournent autour du fait de ne pas s'adapter aux règles de l'entreprise, d'avoir des ennemis au travail, d'avoir un patron qui vous agace, de respecter des horaires ou des objectifs, bref, un emploi, qu'il soit public ou privé, est un défi quotidien. Mais vous avez la garantie et la sécurité de recevoir votre salaire et d'autres avantages à la fin du mois et cela peut être vraiment agréable pour beaucoup de gens. Avec la stabilité financière, vous pouvez planifier ces belles vacances dans un bel endroit sans soucis majeurs car, le mois prochain, vous recevrez déjà à nouveau votre salaire.

La question d'être entrepreneur, quant à elle, se résume à ce qui suit : plus de risques, mais aussi plus de possibilités de gains. Alors que dans l'emploi traditionnel, vous serez limité au plafond salarial, dans l'entreprise, la possibilité de gagner est beaucoup plus grande que le salaire. Les gens qui ont l'habitude de prendre des risques, qui ont de l'intelligence et du courage, peuvent facilement entreprendre. Une formation en administration des affaires, des notions de comptabilité et de droit, aident beaucoup un propriétaire d'entreprise. Avoir des connaissances est essentiel pour qu'en cas de crise, l'entreprise ne fasse pas faillite. Il est essentiel de toujours avoir un deuxième plan et une réserve financière pour faire face aux périodes de turbulences.

Nous voyons donc que le travail est pour les gens plus conservateurs et que les affaires sont pour les gens plus courageux. Quoi que vous choisissiez, je vous souhaite beaucoup de succès dans tous les domaines de votre vie. Croyez en votre potentiel et allez de l'avant dans votre lutte pour la survie. Ayez votre indépendance financière. N'attendez des miettes de personne, car aucun parent n'est obligé de vous les donner. Ce serait bien si tout le monde s'entraidait dans le monde, mais ce n'est pas ce qui se passe dans la pratique. Soyez donc prudent dans vos choix de carrière.

Qu'est-ce qui est le mieux : aller à l'université, passer un examen de la fonction publique, être un influenceur numérique ou créer une entreprise ?

Toutes ces options sont bonnes. D'après mon expérience, je suis d'abord allé à l'université, j'ai passé des examens publics. J'ai opté pour la sécurité d'emploi gouvernementale parce que j'ai vu que ce système était bon pour moi. Mais pour d'autres, c'est peut-être une autre histoire.

Aujourd'hui, nous voyons des gens réussir en tant qu'influenceurs numériques et entrepreneurs, qui sont des professions risquées. Ce doit être une montée d'adrénaline de travailler avec l'instabilité. Mais c'est quelque chose que beaucoup de gens ont entrepris de faire, surtout à l'époque moderne. Il y a des millionnaires qui sont des influenceurs numériques et même des entrepreneurs milliardaires. Dans la fonction publique, par contre, les cas de fonctionnaires bien rémunérés sont rares. Certains ne gagnent que le salaire minimum national.

Votre choix est donc personnel. Mais il est certain qu'investir dans les études est une bonne chose. Étudier est quelque chose que personne ne peut vous enlever, tandis que d'autres choses vous peuvent perdre. Rappelez-vous toujours la valeur des études, du caractère, de l'honnêteté et de faire le bien. C'est ce qui sera vraiment efficace dans votre vie.

Qu'est-ce qui fait qu'une relation fonctionne ?

Pour qu'un mariage fonctionne, il est nécessaire que le couple ait des objectifs similaires. Pour qu'un couple reste ensemble, il est nécessaire d'être en accord, d'affinité, de patience, de compréhension et, surtout, d'amour. Sans amour, aucune relation n'avance.

C'est pourquoi tant de relations se terminent rapidement. Donc, les gens d'aujourd'hui veulent quelque chose d'immédiat. Eh bien, pour tenter de réussir, les gens recherchent tout le temps de nouvelles relations pour satisfaire leur ego. Mais ils se sentent incomplets à l'intérieur.

Pour qu'une relation fonctionne, vous devez être d'accord avec vous-même et vous aimer par-dessus tout. Lorsque nous nous aimons d'abord, l'autre devient un complément sain. C'est tout. Il n'y a pas d'âme sœur. Nous sommes tous des personnes qui ont tort d'essayer d'avoir une bonne relation avec quelqu'un d'autre avec nos imperfections.

Attendre de l'amour des autres est une utopie

Je suis un énorme échec dans les relations. Toute ma vie, j'ai cherché l'amour, quelqu'un qui m'aimerait et me donnerait de l'affection sans aucun intérêt. Mais malheureusement, je ne l'ai pas trouvé. Il y a eu d'innombrables rejets d'amour que j'ai subis pendant près de vingt ans.

Aujourd'hui, j'ai quarante ans de bonheur, et la certitude que je m'aime. Quand je ne me souciais pas des rejets et que je guérissais les blessures, je devenais heureuse. C'est pourquoi j'affirme que : attendre l'amour des autres est utopique. L'amour de

Dieu, l'amour d'une mère et l'amour de soi sont plus forts que n'importe quel sentiment.

Combien d'années de notre vie allons-nous encore perdre du temps à attendre un fantasme ? J'ai cessé de croire à cause de mes expériences subjectives. Mais cela ne veut pas dire que l'amour n'existe pas. Cela existe, mais c'est une rareté. C'est presque comme gagner à la loterie. Ainsi, vous avez plus de chances de devenir riche que d'être heureux en amour. C'est quelque chose dont vous devez être sûr pour ne pas trop vous faire d'illusions ou souffrir autant pour des amours qui nous blessent et nous détruisent.

À quoi ressemblerait notre vie après la mort ?

Nous sommes tous des énergies vivantes, pour le meilleur ou pour le pire. Étant de l'énergie, nous vibrons énergétiquement avec d'autres énergies autour de nous. Et ainsi, nous attirons des énergies similaires aux nôtres.

Notre vie terrestre est la préparation à la vie spirituelle. Ce que nous faisons ici sera jugé, et ce sera la porte d'entrée vers une vie plus pleine. Donc, si vous avez surtout fait le bien, vous n'avez rien à craindre dans la vie spirituelle.

Prenez soin de votre vie et de vos choix, car nous ne savons pas quel sera le jour de la mort. La mort vient nous emmener sur un nouveau plan, plein de plénitude et de bonheur. Nous serons avec nos ancêtres. Avez-vous déjà pensé à ces belles retrouvailles avec les membres de votre famille ? Ainsi, la vie est un passage vers quelque chose de mystérieux et de meilleur pour nous tous.

Si notre esprit évolue, il ne se réincarne plus. Mais si nous sommes des enfants imparfaits, nous retournerons sur le plan terrestre autant de fois qu'il le faudra pour atteindre la béatitude. Cependant, nous ne paierons pas dans cette vie pour les erreurs du passé. Chaque vie est un nouveau chapitre dans le livre formidable de Dieu qui englobe notre existence sur terre.

Il n'y a pas de grandes coïncidences. Mais il y a des situations que le destin dirige. Il nous reste donc la réponse du philosophe : dans cette vie, nous ne sommes sûrs de presque rien. Laissez-vous porter par le grand courant de la vie et découvrez ce que le destin vous réserve. Beaucoup de paix, de chance, de santé et de lumière pour vous.

La cupidité, l'égoïsme et l'ignorance

Ce sont là trois défauts incroyablement mauvais de l'être humain. La cupidité est la poursuite effrénée de l'argent, sans se soucier de quoi que ce soit d'autre. L'égoïsme, quant à lui, c'est vouloir seulement donner la priorité à soi-même, sans se soucier de la place et des désirs des autres. L'ignorance, d'autre part, est une façon de maltraiter les gens, avec pétulance, rigidité et autorité.

Nous devons exercer l'opposé de ces trois défauts. Nous devons avoir la charité, la générosité et la compréhension comme guides de nos vies. Nous devons avoir l'amour comme le plus grand don, qui nous permet d'aimer Dieu, nous-mêmes et notre prochain.

Dieu merci, je ne cultive pas les mauvais défauts. Je suis l'exemple d'un homme honnête et travailleur qui se soucie aussi des autres. Je suis un beau chef de famille qui aide trois frères à subvenir à leurs besoins. Je suis vraiment fière d'être une personne qui est un exemple de travail, de force et d'engagement envers mes propres rêves. C'est la saga du petit rêveur qui m'a fait conquérir le monde entier à travers mes livres. Alors, maintenant, passez à autre chose parce que les gens viennent derrière.

Toutes nos bonnes actions ont une grande raison d'être. En faisant le bien, nous accomplissons inconsciemment les commandements divins, et cela apporte beaucoup de bonheur à nous tous et à l'univers. Avec chaque bonne action, une bonne énergie nous lie au créateur, créant une connexion invincible entre le créateur et la créature.

Ce lien entre l'humanité et Dieu s'appelle la communion. La communion est possible lorsque nous comprenons notre véritable mission sur la terre. Lorsque nous entreprenons d'accomplir les desseins du Créateur, nous ouvrons les portes spirituelles qui nous illuminent d'une manière splendide et merveilleuse. La vraie raison d'être heureux, c'est de faire le bien et de se sentir bien.

Et comment Dieu travaille-t-il dans nos vies ? Comme une boussole, Dieu nous guide dans les moments de doute et nous protège dans les moments de danger. Qui n'a pas affronté l'insécurité et les tempêtes de la vie ? Comme le dit la Bible, construisez une maison de pierre et aucune tempête ne la fera tomber. La maison de pierre est le fidèle serviteur du Très-Haut, qui, avec sa foi, son travail et sa lutte, surmonte tous les défis qui se posent dans sa vie.

Est-il possible que Dieu transforme ma vie ? Oui, mais ce n'est pas magique. Pour réussir dans la vie, nous dépendons principalement de nous-mêmes d'un travail dur et monotone. Dieu peut être la bonne aide au bon moment. Mais sans vos propres efforts, rien ne se passe. Le Dieu des miracles agira dans votre vie d'une manière dont vous ne vous rendez même pas compte. C'est parce que Dieu est un être très intelligent et qu'Il le fait pour que vous ne réalisiez pas qu'Il vous étreint depuis le début. Ce sont des mystères de la vie et de la foi que nous tous, chrétiens, avons traversés au cours de notre brève existence.

Le lien que nous devons créer avec Dieu est un partenariat qui peut être fructueux pour les deux parties. Quand je décide en moi-même d'être un apôtre du bien, j'ouvre la porte de ma maison à cette énergie créatrice que nous appelons habituellement Dieu. C'est donc cette énergie qui rendra possible tout le succès de votre vie. Croire que tous nos rêves peuvent être possibles. Croyez qu'avec votre travail et la bénédiction divine, l'inimaginable peut se produire. Je souhaite du fond du cœur que le destin vous récompense beaucoup. Mais ce sera la conséquence de vos années de travail.

Vous avez construit un mur autour de vous

Nous vivons pour que le monde vive des expériences et évolue dans les domaines les plus divers de la vie. Il y a des gens qui ont des expériences plus positives et d'autres qui ont des expériences plus négatives. Tout ce que nous vivons les uns avec les autres finit par influencer notre mode de vie, la façon dont nous vivons avec les autres et ce que nous pouvons attendre des autres.

En parlant de relations, j'étais une personne très rejetée. J'ai ressenti le mépris des gens à plusieurs reprises et cela m'a fait beaucoup de mal. J'avais donc du mal à comprendre que les autres ne voulaient pas d'une relation avec moi, même si je les aimais. Il était difficile de comprendre que mon amour solitaire n'était pas suffisant pour maintenir une relation parce qu'une relation est faite par deux personnes ayant des objectifs similaires.

Donc, à la suite de ces mauvaises expériences amoureuses, je me suis renfermée sur moi-même en amour et je ne croyais plus que je pouvais être avec qui que ce soit. J'ai construit un mur autour de moi, ne permettant à personne de s'approcher, de peur de souffrir à nouveau. Est-ce vraiment le meilleur choix qu'une personne devrait faire ? Je ne suis pas d'accord avec cela. Je crois que nous devrions toujours avoir de l'espoir dans l'amour parce que les gens sont différents et si vous vous fermez dans l'amour, vous perdrez beaucoup. Il y a des milliers, voire des millions de bonnes personnes dans le monde. Peut-être que votre prince charmant apparaîtra dans votre vie à un moment donné, même si vous avez déjà quarante, cinquante, soixante, soixante-dix ans ou même plus. Je crois que l'amour n'a pas d'âge, et qu'il faut y croire jusqu'à la fin de notre vie. Parce que sans amour, rien n'a de sens dans cette brève existence sur terre.

Amour

L'amour est la lumière la plus pure, les ailes du bonheur, la plénitude des âmes. C'est la rencontre des forces, le sublime, le principe créateur. Aimer, c'est se laisser porter par l'autre, faire confiance et ne pas douter, se battre et ne pas fuir, partager et ne pas voler, veiller et ne pas s'assoupir, c'est vivre et rêver.

Tout ce qui existe vient de l'amour et sans lui rien n'a de sens : c'est de l'amour que Dieu a créé le monde et les créatures, c'est de l'amour que la vie est maintenue, c'est de l'amour que le Christ s'est laissé crucifier, c'est de l'amour que tout le monde aspire, c'est de l'amour que nous cherchons le sens de la vie, c'est de l'amour que nous sommes nés, Vivre et mourir. C'est dans la bouche des poètes et des amoureux, dans une étreinte, dans un geste d'affection, dans les battements des cœurs enthousiastes, dans une parole amicale, dans un conseil, sur les genoux d'une mère.

Vivre l'amour est le chemin le plus court pour comprendre et comprendre le cœur de Dieu : le véritable amour est celui qui n'a pas de limites, celui qui le connaît est capable de donner sa vie pour l'autre. L'amour est plus fort que tout : la haine, le ressentiment, l'envie, l'indifférence, la frigidité de l'âme. Avec l'amour nous sommes tout, sans amour nous ne sommes rien.

Je suis un homme de quarante ans. Je suis passé par l'enfance, l'adolescence, j'ai eu ma phase de dévouement à mes études, j'ai obtenu mon diplôme universitaire et j'ai commencé à travailler. Toutes les phases de ma vie jusqu'à présent ont été très utiles car elles m'ont fait grandir et m'installer dans la vie. Je suis devenu l'homme dont j'ai toujours rêvé : un homme qui croit en Dieu, en lui-même, et qui aime son prochain. Tout cela n'aurait pas été possible si je n'avais pas pris de risques ou travaillé dur jour après jour. Nous sommes le résultat de nos expériences subjectives.

Combien de fois suis-je tombé amoureux ou ai-je aimé ? Souvent. Mais je n'ai pas eu de chance en amour. J'ai déjà quarante ans et je ne suis même pas sortie avec quelqu'un. Je suis à un moment de ma vie où je ne suis même plus à la recherche de mon prince charmant. Je pense que vivre dans un conte de fées éternel est une grande perdition pour tout le monde. Bien sûr, il est agréable de regarder une histoire d'amour à la télévision, au cinéma ou même dans un livre. Mais c'est un roman inventé. Dans la vraie vie, les relations sont très différentes et cruelles.

Mais malgré toutes mes souffrances, je ne serais pas ce que je suis aujourd'hui si je n'avais pas connu la déception. Une grande partie de ce que je suis aujourd'hui, je le dois à mes mauvaises expériences. Alors, je vous remercie pour tout, et j'ai continué à croire en l'amour comme quelque chose de magique, mais possible. Qui sait, peut-être qu'un jour je vous raconterai une de mes histoires d'amour.

Comprendre l'amour comme un don est extrêmement nécessaire à notre survie. C'est aussi s'assurer que si tout va mal, je survivrai sans amour. Personne ne meurt par amour, mais ils peuvent mourir de faim. Ainsi, peu importe à quel point il peut être décevant de mettre fin à une relation ou d'être rejeté, ce n'est pas encore la fin. Vous avez encore une belle route devant vous. Ce chemin est plein de lumière, d'harmonie, de paix et de bonheur parce que vous l'avez construit tout au long de votre vie.

Pourquoi les gens se soucient-ils tant de l'opinion des autres ?

Beaucoup de gens se soucient de ce que les autres penseront de leurs attitudes. Ce comportement est courant chez les personnes qui ne sont pas sûres d'elles, les personnes qui sont plus jeunes ou qui n'ont pas d'expérience de vie, les personnes qui dépendent financièrement de quelqu'un. Mais je demande, pourquoi s'inquiéter autant de l'opinion des autres ?

Peut-être cette insécurité est-elle due à la peur d'être exclu ou de ne pas être accepté par un certain type de groupe. Mais pourquoi ce besoin ? Je n'en vois pas l'intérêt. D'abord, parce que nous sommes indépendants, et que nous sommes libres. Si quelqu'un ne m'aime pas, c'est son problème et pas le mien. Lorsque nous sommes sûrs de nos droits et de nos choix, l'opinion de l'autre personne passe au second plan.

Ne vous laissez pas submerger par les critiques ou les mauvaises impressions de votre vie. Faire le bien ou faire le mal, ils parleront de nous de toute façon. Alors, vivez votre vie pour vous faire plaisir. Ce sera une attitude saine de votre part. Ce sera une attitude qui vous procurera du bien-être. Soyez sûr de vous et vous aurez un grand bonheur intérieur.

En exerçant notre libre arbitre, nous plaçons notre destin entre nos mains. Ce sera un moyen sûr de réussir. Ce sera un moyen sûr d'être heureux, quelle que soit l'opinion des autres. Par conséquent, soyez assuré qu'être le protagoniste de votre propre histoire est la meilleure voie à suivre.

Existe-t-il vraiment une chose telle que le karma, un type de dette des vies antérieures ?

Beaucoup de gens blâment le karma lorsque les choses deviennent incontrôlables et tournent mal dans leur vie. Le karma est la meilleure excuse pour l'échec ou l'échec. Mais le karma est-il vraiment responsable de tout cela ? Je dis non simplement parce que le karma n'existe pas.

Le karma, ainsi compris comme une dette pour les péchés des vies antérieures, est un grand fantasme. Les vies antérieures sont révolues depuis longtemps. Ce sont des histoires qui se sont terminées et qui se sont perdues dans le temps. Il ne restait que les souvenirs. Et pourquoi devrions-nous payer une dette que nous ne méritons même pas ? Cette théorie n'a aucun sens pratique.

Je crois que si nous commettons des erreurs, nous paierons dans cette vie où nous recevrons le pardon de Dieu. Tous nos péchés ont été laissés derrière nous et un homme nouveau est né, prêt pour de nouvelles réalisations et de nouveaux défis. Pour entrer dans le royaume de Dieu en toute sécurité, nous devons naître en tant qu'homme nouveau. Être comme un enfant est un grand atout pour atteindre cette bénédiction.

N'attribuez pas votre incompétence dans vos projets au karma. Lorsque nous ne planifions pas bien, lorsque nous échouons à bien des égards, nous échouons. Mais nous n'échouons pas à cause du karma. Ce sont nos mauvaises attitudes qui nous ont fait faire naufrage. Donc, si vous faites ce qu'il faut, votre succès viendra certainement à un moment donné et vous embrassera de toutes vos forces.

Tous nos actes, tous nos travaux, tous nos choix, relèvent de notre seule responsabilité. N'attribuez pas votre échec à quoi que ce soit, car vous seriez injuste. Ne cherchez pas les coupables d'un échec de stratégie. Essayez d'étudier les affaires, le droit, les lois de la fonction publique, bref, tout ce qui peut vous aider à être une personne qui réussit. Croyez-moi, vous pouvez, vous devriez et vous méritez d'être heureux. Mais ne soyez pas injuste envers qui que ce soit ou envers vous-même.

Qu'est-ce que la réincarnation ?

Se réincarner, c'est revenir à la vie dans un autre corps, dans une autre famille, dans un autre pays. Beaucoup de gens se réincarnent sur terre pour accomplir une mission ou terminer l'accomplissement d'un héritage qui manquait dans les vies antérieures. Cependant, les esprits évolués ne se réincarnent plus. Comme ils sont parfaits, ils n'ont pas besoin d'avoir une autre vie pour accomplir leur cycle d'évolution.

Comment départager plusieurs chemins possibles ?

Le monde nous offre un éventail infini de possibilités. C'est dans les sphères amoureuse, professionnelle et familiale. Vous avez le choix entre de nombreuses options. En tant qu'adultes, nous devons réfléchir à ce qu'il y a de mieux à ajouter à nos vies et à ce qui contribue le mieux à un monde plus juste, plus moderne et plus égalitaire.

J'ai décidé d'être un apôtre du bien, d'être célibataire et de vivre avec ma famille. Ces trois choix font avancer ma vie de la meilleure façon possible. Et je suis heureux de chacun de mes choix. Être un apôtre de la bonté, c'est être une personne engagée pour le bien. Je travaille, je paie mes impôts, je fais la charité et j'aide mon prochain du mieux que je peux. Faire le bien me donne un sentiment d'appartenance particulièrement bon à quelque chose.

J'ai décidé d'être célibataire parce que j'ai été rejeté plus de dix mille fois. Quand je me suis sentie totalement abandonnée par les autres à cause du rejet, j'ai trouvé en Dieu et en moi-même la force dont j'avais besoin pour continuer ma vie. J'ai découvert un amour plus grand que tout et une appartenance à un destin qui n'était pas mauvais. Aujourd'hui, je suis béni par l'univers pour les choses merveilleuses qui se produisent dans ma vie.

Qu'est-ce que ça fait de vivre avec trois frères et sœurs ? D'une part, j'ai leur compagnie et cela m'aide à ne pas me sentir totalement seule. D'un autre côté, je n'ai pas de liberté sexuelle ni de voix active dans mon travail à domicile. Parce qu'ils sont plus âgés, le dernier mot leur appartient et je dois l'accepter. Je sais que c'est triste pour la plupart des jeunes, mais j'ai déjà quarante ans. Comme je suis à peu près à mi-chemin de ma vie, je n'ai plus de perspectives amoureuses ni de grands rêves. Mon rêve est de continuer ma littérature, d'entrer dans les maisons de mes lecteurs avec mes mots d'affection et d'encouragement. Mais la grande vérité est que la vie n'est facile pour personne. La vie nous impose des fardeaux que nous ne savons souvent pas porter. La vie n'est pas toujours juste pour nous, mais elle est incroyablement sage. Je pense qu'il y a du temps pour tout. Je crois aussi que dans un avenir lointain, je pourrai être heureux de mes choix.

Nous sommes le reflet de nos rêves

Depuis que je suis enfant, quand je suis né dans une famille traditionnelle, pauvre, humble et du nord-est, je me suis battu pour mes objectifs. Vous savez, et rien n'a été vraiment facile. J'ai dû faire face à de grands défis et à des problèmes difficiles à résoudre. J'ai surmonté chacun des défis, mais réaliser des rêves n'est pas si facile. En général, j'ai conquis les rêves et j'en ai abandonné d'autres parce que je considérais qu'ils ne correspondaient pas à ma réalité. J'ai donc survécu et surmonté plusieurs obstacles. J'ai été très heureux dans chacun de mes projets.

Mon conseil est que si vous croyez en quelque chose, battez-vous pour cela. Mais avant cela, analysez si c'est vraiment possible pour votre réalité. Cela dit, parce qu'il y a des choses qui échappent vraiment à notre réalité et qui ne sont que des rêveries. Quand c'est comme ça, cherchez quelque chose de plus facile à accomplir.

Quel que soit votre rêve, croyez-y. Nous sommes le reflet de nos rêves ou même plus grands qu'eux. Tout est possible, tant que vous ne commettez pas d'actes arbitraires. Tout est possible, tant que c'est fait avec honnêteté, amour, patience, joie et sagesse.

J'ai déjà réalisé quelques rêves : j'ai été cinéaste d'animation, je suis allé à l'université, j'ai été compositeur, j'ai été agriculteur, je suis fonctionnaire, j'en suis déjà à mon troisième emploi public. Mais il y a d'autres rêves que je n'ai pas réalisés. Comme, par exemple, vivre de la littérature. En raison de mes faibles ventes, il n'est pas encore possible de vivre de mon art littéraire. Je reste dans mon travail, qui est aussi quelque chose qui m'épanouit en tant que professionnel. J'ai déjà quinze ans d'expérience dans la fonction publique, un travail que j'accomplis avec beaucoup d'amour, de dévouement et de joie. J'espère conserver mon emploi, car la stabilité financière est particulièrement importante pour qu'une personne puisse planifier ses dépenses. J'aime mes deux activités, la littérature et le service public.

Je porte en moi une foi qui n'est pas ébranlée

J'ai passé les nuits sombres, mais dans chacune d'elles, tu étais avec moi. Qu'est-ce que notre relation avec Dieu nous dit quand nous sommes en danger ? Qu'est-ce que notre moi intérieur nous dit lorsque nous faisons face à de grandes tempêtes ? J'ai l'impression d'appartenir à un plan plus vaste. J'ai traversé de grandes nuits sombres, mais dans aucune d'entre elles je ne me suis perdu. Je suis reconnaissant pour tout ce que je reçois de Dieu parce qu'il est bon pour toutes les créatures.

Il est tout à fait vrai que j'ai vécu de gros problèmes individuels qui m'ont empêché de dormir la nuit. Il est vrai que plusieurs fois je me suis sentie seule sur mon chemin. Mais il est bien vrai qu'une force mystérieuse me soutenait. Je vois dans cette force mystérieuse le doigt de Dieu à l'œuvre en ma faveur. Dieu, avec ses ailes, m'a protégé de tout mal et de tout danger, même si je ne méritais pas une telle attention. Dieu nous aime gratuitement, et c'est pourquoi je chante des louanges à cet être mystérieux.

C'est vrai, ma foi m'a soutenu. La foi déplace profondément les montagnes. C'est la foi qui m'a fait croire en mon potentiel. C'est la foi qui m'a fait terminer mes études. C'est la foi qui m'a fait passer les examens publics. C'est la foi qui m'a fait aider beaucoup de gens. C'est la foi qui m'a donné la force de croire en mon talent d'artiste. La foi, dans toutes mes actions, a été le carburant que Dieu a utilisé pour m'aider et me transformer en l'homme que je suis aujourd'hui : un homme travailleur, honnête et droit qui aide son prochain d'une manière ou d'une autre. Je suis fière de moi. Je suis fier d'être un exemple pour les jeunes et les adultes de ma communauté. Croyons que la foi peut changer nos vies.

Le secret de la paix est de ne pas donner de l'importance aux problèmes

Nous sommes continuellement bombardés de questions et de problèmes qui affectent notre psyché. Ce sont des questions liées au travail, à notre famille, à nos relations, à notre vie sociale elle-même, bref, toute notre vie est coordonnée par des problèmes critiques qui affectent notre émotionnel.

Et comment bien garder ses émotions face à tant d'engagements ? Simplement, ne laissez pas libre cours à vos inquiétudes. Résolvez les soucis petit à petit et n'en faites pas le centre de votre vie. Essayez de moins vous inquiéter des choses. Essayez de lâcher prise sur les choses terrestres. Lorsque nous nous concentrons sur les solutions, tout semble être plus facile. Lorsque nous donnons la priorité à notre santé mentale, lorsque nous nous aimons, lorsque nous comprenons que le problème de l'autre personne n'est pas le nôtre, nous avons plus de paix, de gratitude et de joie dans la vie.

Avoir la paix est synonyme de moins s'inquiéter. Avoir la paix est synonyme de succès et de beau travail. Avoir la paix est un signe que je comprends que Dieu est au-dessus de toutes choses et qu'il m'aime. Avoir la paix, c'est refuser de souffrir éternellement pour quelque chose qui n'est pas sous notre contrôle. Avoir la paix, c'est aller à l'encontre du mal qui nous tourmente. Quoi qu'il en soit, notre paix ne dépend que de nous-mêmes, de notre capacité à mettre moins de choses dans notre esprit.

Le vrai bonheur commence par nous-mêmes

Qu'est-ce qu'être heureux signifie pour vous ? Pour moi, il s'agit de réaliser des rêves, de me sentir aimée et de me sentir bien. Mais êtes-vous prêt pour une relation ? Pensez-y. Pour être prêt à une relation, nous devons nous aimer et nous mettre en premier. Et lorsque nous sommes en relation avec une autre personne, nous devons également la faire passer en premier. Ce faisant, nous sommes sur un pied d'égalité avec la personne que nous aimons.

Ne restez pas dans une relation pour des miettes. Si l'autre personne ne vous apprécie pas de la même manière que vous, demandez-vous si cela en vaut vraiment la peine. Eh bien, si c'est pour vivre de miettes d'affection et d'attention, je préfère rester célibataire. Célibataire, je suis libre de choisir ce que je veux pour ma vie. Célibataire, je peux tout faire sans demander la permission ou l'explication. Bref, être célibataire est plus avantageux que d'être marié.

Beaucoup de gens se trompent eux-mêmes avec l'illusion de fausses relations par peur de la solitude. Mais la grande vérité dans le monde, c'est que nous naissons seuls et mourons seuls. Tous les autres sont éphémères dans notre vie. Nous sommes ce qui reste. Par conséquent, nous devons jouer le rôle de protagoniste dans le théâtre qu'est notre vie. Ainsi, votre succès ou votre échec sera de votre seule responsabilité.

L'amour véritable, aime les défauts et les qualités

Il n'y a pas de perfection sur terre. Il n'existe pas d'être humain parfait. Il y a des gens qui ont des défauts et des qualités et qui peuvent être de grands compagnons et de grands amours. C'est donc à vous de décider et de sortir de cette illusion que vous trouverez quelqu'un de parfait. Sortez-en pendant qu'il est encore temps.

Quand quelqu'un vous aime absolument, il ne se soucie même pas de votre mauvaise haleine ou de vos flatulences. Quand quelqu'un vous aime sincèrement, il ne se souciera même pas de savoir si vous êtes riche ou pauvre, si vous êtes laid ou beau, si vous êtes sexy ou horrifiant. Ceux qui vous aiment vraiment accepteront vos défauts et vous aimeront beaucoup pour ce que vous êtes. Alors croyez toujours en l'amour et cherchez toujours à trouver votre petit ami. Il y a des millions d'hommes bons, qui attendent l'occasion d'aimer et d'être aimés.

Malheureusement, je n'ai pas eu de bonnes expériences amoureuses jusqu'à présent. Mais cela ne veut pas dire que je peux dire que l'amour n'existe pas. En fait, l'amour existe vraiment pour de nombreux couples qui s'aiment. L'amour est cette force puissante qui nous guide dans l'obscurité et soulage nos problèmes. L'amour est une chose merveilleuse à ressentir. L'amour est quelque chose qui nous transforme d'une manière unique. Ainsi, ceux qui ont aimé dans la vie sont très bénis.

Probablement parce que je ne fais pas partie de la norme la plus désirée de la société : hétéro, blanc, beau, riche. Les gens ne sont pas attirés par moi parce que je n'ai pas d'attributs physiques accrocheurs : je suis petit, maigre et j'ai un petit cul. Mais je comprends que la société vit des apparences.

Après avoir décidé d'être célibataire, je suis devenue une personne plus épanouie professionnellement. Je me suis davantage consacré au travail dans la fonction publique, à la littérature et à ma famille. J'ai consacré plus de temps à mon propre bien-être. Alors, aujourd'hui, je suis heureuse, légère, libre et libre de faire ce que je veux de ma vie.

J'ai réalisé que les rejets d'amour étaient une délivrance pour ma vie. J'ai compris que mon amour-propre et mon amour pour Dieu devaient toujours être plus grands. J'ai compris que mon travail et mes envies ont une place particulière dans ma vie. Je me suis rendu compte que je valais trop pour accepter une proposition indécente. J'ai réalisé, pas trop tard, que j'étais la bonne personne pour moi et que je ne pouvais compter que sur moi-même financièrement, amoureusement et professionnellement. Je me sens heureuse de terminer quarante ans de vie encore avec de grands rêves qui m'émeuvent chaque jour. Je suis vraiment une personne spéciale pour moi-même, pour Dieu et pour ma famille.

Ceux qui ont l'habitude de tricher pensent que les autres sont comme eux

Ceux qui trichent n'ont aucune confiance en leur partenaire. Ceux qui trichent sont pleins de jalousie, voulant contrôler la femme. C'est ce qu'on appelle la masculinité toxique où l'homme est le centre de la relation. Femmes, faites attention, n'acceptez pas les relations toxiques.

De nombreuses femmes vivent dans des relations toxiques par peur, par honte, par manque d'indépendance financière ou par manque de soutien familial. Ils vivent dans une prison dont ils ne peuvent pas sortir. Attention : vous pouvez même sortir mort de cette relation.

Faites attention aux premiers signes que votre mari contrôle. Si c'est le cas, fuyez-le. Il vaut mieux être seul et s'assurer que vous êtes en sécurité que de sortir avec un tel fret. Votre vie devrait toujours être votre priorité.

Ne vous découragez jamais

Je sais ce que vous ressentez. À certaines étapes de notre vie, il semble que nos problèmes grandissent et qu'ils nous étouffent. Comme il est mauvais de vivre des jours de solitude, de tourment et d'incertitude parce que nous ne pouvons pas mener à bien tous nos plans.

En tant qu'êtres humains, nous sommes guidés par des rêves qui n'ont parfois même pas d'explication dans notre esprit. Souvent, l'émotion nous commande plus que la raison et fait de nous des personnes plus romantiques. Oui, il est normal de croire en l'amour, en nous-mêmes ou en nos rêves. Tout cela fait partie de notre univers privé.

Ce que je peux dire, c'est qu'il ne faut pas se décourager face aux premiers échecs. L'erreur contribue au succès. Pour arriver à quelque chose, nous devons aller à l'intérieur de nous-mêmes et réévaluer chaque décision que nous avons prise au cours des dernières années. Nous nous rendrons compte à partir de là que notre vie a évolué en fonction de nos décisions.

Donnez une motivation à votre vie. Faites en sorte que vos rêves comptent comme s'ils étaient les dernières choses que vous ne ferez jamais sur terre. Ensuite, vous verrez le soleil briller sur votre visage. Vous trouverez votre chemin sur la terre, et vous serez prêt à le parcourir comme le grand prophète l'a fait autrefois. La vie est faite de choses simples mais importantes en elles-mêmes.

Cela vaut-il la peine d'essayer de sauver un mariage en crise ?

Cela dépend du nombre d'enfants que vous avez, du nombre d'années passées ensemble, si l'amour existe encore, entre autres choses. Parce que si l'amour n'existe plus, il vaut mieux essayer de vivre dans une nouvelle situation. Même si nous avons des liens avec cette personne, cela ne vaut pas la peine de maintenir un mariage juste pour le bien des enfants.

Parfois, au fil du temps, le mariage tombe dans une ornière. Ainsi, tout ce qui vous attirait n'est plus intéressant. Changez votre routine, partez en voyage, changez d'emploi, déménagez dans une autre ville. Si rien de tout cela ne fonctionne, changez de relation. Lorsque l'amour se termine, il est préférable d'abandonner et de passer à de nouvelles conquêtes.

Ne craignez pas de rêver car cela ne coûte rien. Combien de projets n'étaient pas que des rêves dans le passé ? Tout ce qu'il fallait, c'était une seule personne pour y croire et le faire. Ne vous découragez donc pas. Croyez donc en votre potentiel.

J'ai réalisé beaucoup de rêves : j'étais cinéaste, compositeur, enseignant, fonctionnaire. Bien que j'aie dû renoncer à beaucoup de mes rêves, je me suis réjoui de les avoir accomplis au moins une fois. J'étais remplie de fierté parce que j'étais capable de dépasser mes limites.

Je ne regrette pas d'avoir essayé et échoué. Cela m'a laissé les grandes expériences humaines que j'avais acquises. Tout ce que nous avons entrepris de faire, nous ne sommes pas sûrs que cela fonctionnera. Nous savons simplement que nous essayons. Et cela en vaut la peine.

Alors, réjouissez-vous, car vous êtes un grand champion. Soyez enthousiaste à l'idée de voir vos efforts, votre travail récompensé pour ce qui est mérité. Je suis incroyablement heureux de dire que je suis en train de réaliser mon grand rêve d'être fonctionnaire et écrivain. Je suis heureuse de faire ces activités parce que c'est quelque chose qui est ancré en moi. Avançons, les gens suivent.

La vie est imprévisible

Nous ne savons jamais exactement ce que l'avenir nous réserve. Et comment agir face à l'imprévisibilité de la vie ? Nous devons être patients, prudents et intelligents. Nous devons travailler avec ce que nous avons aujourd'hui, dans le présent. Nous devons élaborer un plan pour l'avenir, notamment sur le plan financier. Étudiez les possibilités de revenus. Étudiez les possibilités d'investissement. Faites preuve de perspicacité financière.

L'amour est également imprévisible dans nos vies. Ça arrive vite, ça passe comme un ouragan, et c'est fini. Comme l'amour est éphémère dans la vie de chacun d'entre nous. Mais heureux celui qui avait un amour et une belle histoire à raconter. J'aime les histoires et j'aime les raconter.

L'amour est l'une des rares choses qui valent la peine d'être vécues et pour lesquelles il vaut la peine de vivre. L'amour est sans l'ombre d'un doute l'énergie qui gouverne l'univers. Alors, aimez sans réserve.

Qu'est-ce que le pardon nous transforme ?

Le pardon, c'est surmonter une grande tristesse. Le pardon, c'est libérer votre âme de la haine dirigée contre l'autre. Comme il est bon de pardonner, n'est-ce pas ? Le pardon nous laisse avec une âme légère, avec une âme libre de voler.

J'ai pardonné à tous ceux qui m'ont fait du tort. Et ma vie s'est transformée après ça. Aujourd'hui, je vis avec une âme éclairée. J'ai compris que la haine et le ressentiment n'ajoutaient rien à ma vie. Au contraire, cela n'a fait que nuire à ma tranquillité. Alors, j'ai décidé de pardonner, et c'était la meilleure chose que j'ai faite dans ma vie.

Tout le monde devrait faire l'expérience du sens du pardon dans sa vie. Tout le monde devrait évoluer davantage, en faisant du bien à ceux qui nous ont fait du tort. N'est-ce pas ce que Jésus nous a enseigné ? Il est donc temps de le mettre en pratique. Il ne sert à rien de se contenter d'un discours sur le fait d'être chrétien. Nous devons être chrétiens dans des attitudes qui devraient être un exemple pour tous. Ce n'est qu'ainsi que nous pourrons exiger quelque chose de notre prochain.

Un véritable ami est un baume pour nos vies

J'aimerais vraiment avoir un véritable ami. Mais en quarante ans d'existence, je ne l'ai pas trouvé. Mes amis, c'est Dieu et ma famille. Mais les amis existent. Pour ceux qui ont la chance de le trouver, gardez cet ami dans un coffre au trésor. Garde-le comme une perle rare, car ils sont rares.

Avoir un ami fidèle illumine vos journées. C'est bien d'avoir quelqu'un à qui parler, avec qui passer du temps, pour aller au bar, pour aller au centre commercial, pour aller au match de football, pour aller à la pêche. C'est un honneur d'avoir un bon ami. Oui, avant que j'oublie, j'avais un ami à l'université qui se spécialisait en mathématiques. C'était une grande amie qui m'écoutait, qui m'aidait, bref, dommage que le destin me l'ait enlevée. Aujourd'hui, elle vit toujours au même endroit et est mariée à un homme gentil. Après avoir terminé l'université, je ne suis allé la voir qu'une seule fois. C'était une belle balade dans le cher quartier des taons.

Final

Milton Keynes UK
Ingram Content Group UK Ltd.
UKHW010624041223
433752UK00001B/237